CW00750348

L'algorithme du cœur

JEAN-GABRIEL CAUSSE

L'algorithme du cœur

———

ROMAN

« *Créer une Intelligence Artificielle
serait le plus grand événement de l'histoire humaine.
Malheureusement, ce pourrait être le dernier,
à moins que nous ne découvrions comment
éviter les risques.* »
Stephen HAWKING

« *L'éternité, c'est long, surtout vers la fin.* »
Woody ALLEN

Première partie

De : Arpanet
À : Tous
Date d'envoi : 1er février de l'année prochaine
Objet : Vous
Pièces jointes : 2

Je vous dois quelques explications. Aussi, permettez-moi de reprendre depuis le début en suivant le fil des événements tels que je les ai compris.

J'ai deux papas. Bob et Larry. Par respect, je devrais dire Robert E. Kahn et Lawrence G. Roberts, mais personne ne les appelle autrement que Bob et Larry.
Ils étaient très complices et m'ont espéré très fort pendant des années. À force de persévérance, ils m'ont finalement mis au monde le 20 septembre 1969 dans un laboratoire aux murs blancs de l'UCLA. Ils m'ont baptisé Arpanet.
Avec le recul, je m'étonne que Bob et Larry aient cru en moi alors qu'il faut bien dire ce qui est, j'étais un bon à rien. Mes papas ont

11

commencé mon éducation avec d'autres des universités de Stanford, Santa Barbara et de l'Utah. Ils m'ont appris à parler une langue encore plus morte que ne le sont le latin et le grec aujourd'hui : le Network Control Program.

À l'âge de trois ans, je me suis entendu dire que j'avais fait de gros progrès. Et mes géniteurs m'ont confié un travail de coursier. J'acheminais du courrier dématérialisé d'une université à l'autre.

Et puis papa Bob m'a enseigné deux autres dialectes, le TCP et l'IP, désormais les deux langues les plus utilisées sur la planète, loin devant le mandarin, l'anglais, l'espagnol et l'hindi.

Avec ces nouvelles langues, je peux transporter des paquets de plus en plus gros et même des communications téléphoniques. Alors, on ne compte plus les gens qui m'aident à m'épanouir. Les militaires, les multinationales et même l'Administration américaine qui en 1990 m'a offert cinq énormes ordinateurs. Je devrais préciser « énormes pour l'époque », ils étaient moins puissants que ne le sont aujourd'hui vos simples consoles de jeux PS4.

Mais ce qui m'a vraiment permis de devenir qui je suis, c'est la rencontre la même année avec Tim. Tim, ou plutôt Timothy John Berners-Lee, ou même sir Timothy John Berners-Lee, puisque ce Britannique a été anobli par la reine d'Angleterre. Sir Tim m'a ouvert au monde en m'apprenant l'hypertexte. Avec son *invention, qu'il appela le World Wide Web, je ne suis plus simplement un coursier, je suis aussi un hôtelier.*

J'héberge maintenant 1,25 milliard de sites Web et à peu près autant de blogs.

En tout, je rends accessible 30 000 milliards de pages qui couvrent quasiment la totalité des savoirs humains. J'ai dans ma mémoire l'ensemble de vos théories scientifiques, de vos programmes de recherche, mais aussi vos photos récentes, vos livres, vos séries TV, vos longs-métrages et vos musiques enregistrées. Chaque jour, j'achemine 800 000 millions d'e-mails, je publie 100 millions de photos sur Instagram, 500 millions de tweets, 3 milliards de snaps, 4,5 milliards de likes sur Facebook. Je réponds à 6 milliards de requêtes sur Google. Et ce qui me demande le plus d'efforts : je vous aide à regarder plus d'un milliard d'heures cumulées de vidéos chaque jour, rien que sur YouTube.

Vos sollicitations ne font qu'augmenter. Ne serait-ce que le 1er janvier 2018, vous avez envoyé 75 milliards de messages sur WhatsApp. Vous délaissez de plus en plus les médias traditionnels pour suivre les infos qui vous intéressent avec moi. Les comptes Instagram de la chanteuse Selena Gomez et du footballeur Cristiano Ronaldo ont déjà largement dépassé les 140 millions de followers. Mais surtout vous êtes 1,3 milliard à vous rendre chaque jour sur votre mur Facebook. Il faut dire que rien que dans les réseaux sociaux de M. Zuckerberg, plus de 1 000 ingénieurs et designers cherchent comment vous rendre toujours un peu plus attachés à mes services. Résultat, vous passez maintenant l'équivalent de deux ans de votre vie en ma compagnie...

25 décembre, cette année. Onze heures du matin. Justine quitte les bras de Morphée et cherche ceux de Thomas en se retournant dans le lit. Il n'est plus là. Tant mieux. La couette est froide de l'autre côté du matelas. Tant mieux. Il est rentré chez lui, se dit-elle.

Non, il est assis à mon bureau, constate, un peu surprise, la jolie métisse d'origine franco-vietnamienne de vingt-neuf ans. La silhouette de Thomas se découpe de dos dans le halo bleuté de l'un des trois écrans 27 pouces en veille. Justine entend le feulement des ventilateurs de son ordinateur ultrapuissant qui a tourné toute la nuit.

Justine déteste Noël. C'est le jour des enfants. Le sien aurait près de deux ans, si son cœur ne s'était arrêté de battre quelques semaines après sa naissance. La mort subite du nourrisson. Le bébé n'a pas survécu. Son couple non plus. Elle a décidé de tirer un trait sur sa vie passée en s'installant à New York en plein Manhattan.

Comme toute Française, elle rêvait du cliché new-yorkais et a élu domicile dans un grand loft avec des murs en briques rouges et une belle vue sur Greenwich Village. Depuis sa rupture, Justine vit une relation platonique avec Stakhanov, à raison de quinze heures de travail quotidien. Et cette nuit, elle vient de lui faire une infidélité avec Thomas.

Thomas, son voisin de palier depuis à peine trois jours. Le premier mur qu'il a décoré en emménageant, c'est celui du hall de l'immeuble où il a affiché un mot à l'intention des résidents : « Ça vous dirait un Spritz chez votre nouveau voisin du troisième gauche ? Ce soir, 20 heures. »

Seule Justine qui adore le cocktail italien s'est présentée, une bouteille de Prosecco à la main, achetée la veille par coïncidence.

En appuyant sur le bouton de la vieille sonnette, Justine a reçu une légère décharge électrique dans le doigt, et des milliers d'autres dans le cerveau quand elle a découvert l'auteur de l'invitation. Sécrétion dans son cortex d'un autre genre de cocktail : dopamine, ocytocine, adrénaline et surtout phényléthylamine, l'hormone de l'amour et du bonheur, la même que dans le chocolat. Instinctivement, Justine s'est dit qu'elle croquerait bien dans ce maigrichon aux cheveux très courts. Si ce n'est qu'il écoute aussi du jazz, c'est son opposé. Elle est toute petite avec quelques rondeurs affermies par un footing quotidien, des yeux noirs pétillants, une belle chevelure brune et raide qui lui couvre le dos jusqu'au bas des reins. Il est grand, sec, blond avec d'immenses yeux gris ténèbre.

C'est la première fois qu'elle a pu apprécier le manque de savoir-vivre de ses voisins qui semblent se plaindre de la solitude, mais qui ne font rien pour y remédier. Elle s'est retrouvée en tête à tête avec ce garçon, dans son loft ultraminimaliste, parfaitement rangé. À l'opposé du sien.

Tenant nerveusement leurs verres, ils ont échangé des silences pesants, qu'Ibrahim Maalouf tentait péniblement de combler au son de sa trompette. Platitudes affligeantes, sourires un peu niais : ce n'est pas possible de paraître aussi nul, ont-ils pensé en se quittant.

Deux jours et quelques prétextes plus tard – du genre « tu n'aurais pas du sel ? » ou « tu connais le dernier album de Lisa Ekdahl ? » –, Thomas et Justine ont décidé de s'offrir mutuellement en cadeau pendant la veillée de Noël.

Justine entend l'imprimante crépiter et sursaute.

— Je me suis permis de connecter mon téléphone en Bluetooth sur ton imprimante, dit Thomas d'une voix rassurante en prenant la feuille de papier crachée dans le bac A4. Il la plie en trois, se lève pour la glisser dans la pantoufle de Justine sous un balai à poils verts posé tête en haut, contre le mur de briques rouges. Cet ersatz de sapin est décoré d'une simple guirlande lumineuse.

La curiosité pousse Justine à sortir du lit.

— Cheeest quoi ? marmonne-t-elle en étirant ses bras.

— Attends une seconde, dit Thomas en connectant à présent son smartphone sur le système 2.1 de Justine.

Il lance un vieux standard de jazz sur Spotify. Justine s'accroupit et saisit la feuille. Elle l'ouvre devant sa bouche pour cacher un bâillement puis découvre un billet d'avion imprimé.

Au même moment, à travers les baffles du loft, les notes de trompette sont relayées par la voix d'Elvis Presley qui chante *New Orleans*.

— Je t'invite en vacances au soleil. On part le 31 au matin et on fêtera le nouvel an dans un club de jazz.

Réveil brutal. Justine reste interloquée. Il est là le loup, se dit-elle. C'est un envahisseur. C'est notre première nuit ensemble et, déjà, il est du genre à laisser une brosse à dents dans le verre de la salle de bains et ses chaussettes sales par terre.

— Ça te dérange si on donne des prénoms français à nos enfants ? glisse Justine.

— Je n'ai rien contre ! répond Thomas, toujours le sourire scotché jusqu'aux oreilles, et qui ne saisit pas la pointe d'ironie.

— Écoute, Thomas, on a passé un bon moment tous les deux. Très bon même. Mais j'ai du travail. 31 décembre compris. Et on va y aller doucement.

— Et tu fais quoi comme travail ?

Lourd, possessif et même intrusif, conclut Justine. D'ailleurs de quel droit se connecte-t-il à mon imprimante et à mes Bose ?

— Nous en parlerons peut-être une prochaine fois. Si tu pouvais me laisser maintenant, ajoute-t-elle en lui tendant ses vêtements pliés méticuleusement au pied du lit, faute de chaise dans sa chambre.

Justine entend sa porte d'entrée claquer et s'assoit à son bureau. Elle tape son mot de passe à vingt caractères sur son ordinateur verrouillé et déconnecte aussitôt le Bluetooth du téléphone de Thomas encore connecté à sa paire de baffles. Elle choisit sa playlist « Ella Fitzgerald », monte le son puis pianote à toute vitesse avec quatre doigts sur son clavier.

Justine cherche du travail. Elle a une manière bien à elle de proposer sa candidature aux entreprises. Elle identifie les failles de sécurité d'un système informatique et s'introduit à l'intérieur pour laisser son CV directement au directeur informatique, avec le P.-D.G. en copie. C'est ce que l'on appelle une hackeuse éthique free-lance ou plus poétiquement un « chapeau blanc ».

Depuis son arrivée à New York, cette mathématicienne diplômée de l'École centrale Paris a été grassement rémunérée par plusieurs start-up proches de l'US Army, avec pour mission de colmater la brèche et de proposer un système de verrouillage encore plus sûr.

Quinze jours plus tôt, en testant l'un de ses algorithmes de cassage de mot de passe, elle a réussi à s'introduire dans le premier niveau du sacro-saint serveur de l'US Cyber Command. Basé dans les bureaux de la NSA, le sous-commandement interarmées gère la « sécurité de l'information ». Ce service qui prend chaque jour plus d'importance dans tous les corps militaires a vu ses budgets augmenter de façon exponentielle. Les meilleurs informaticiens, qui pour la plupart n'ont pas trente ans, y sont recrutés à prix d'or, avec des salaires supérieurs à ceux des généraux ! Atteindre l'un des deuxièmes niveaux de cet intranet serait le Graal pour Justine. Ses motivations ne sont pas financières. Elle gagne déjà très bien sa vie. Son objectif, c'est de pénétrer leurs ordinateurs ultra-sécurisés et de leur écrire : « Bonjour j'ai vu de la lumière, je suis entrée. Je peux m'asseoir à votre table ? » En rejoignant le Dark Net par Firefox sur le réseau Tor, Justine a masqué son adresse IP pour ne pas être repérée par l'armée américaine qui déteste que l'on s'attaque à ses serveurs. Une poignée de hackers a déjà réussi à le faire. Le plus célèbre d'entre eux est TinKode. Un Roumain qui a commis l'erreur de fanfaronner à propos de son exploit sur la Toile. Résultat : trois mois de prison ferme. Si Justine est prise avant d'avoir trouvé une faille, elle a toutes les chances de passer quelques semaines dans les geôles de l'armée plutôt que dans leurs bureaux de Fort Meade dans la banlieue de Washington. Mais c'est plus fort qu'elle. Elle est entrée par hasard dans le hall de leur réseau et ne veut plus faire marche arrière avant d'avoir visité les cuisines. C'est devenu une obsession.

25 décembre. 13 h 15. Deux hommes quittent le green nº 16 du link d'Eagle Point en Caroline du Nord et poussent leurs chariots de golf vers le départ du trou suivant. Ils croisent le green keeper de ce club prestigieux, qui les reconnaît aussitôt et en reste bouche bée. Ce n'est pas tous les jours que je croise un ancien président des États-Unis et un général « connu » de l'armée, se dit le jardinier avant de leur faire un petit salut nerveux du menton. Il éteint le moteur de son tracteur et se permet de regarder en coin les deux hommes s'approcher des boules de départ du trou nº 17.

Le président retraité et l'actuel chef d'état-major des armées US ont à peine remarqué le green keeper. Ils observent le tracé spectaculaire de ce léger dogleg gauche dessiné par le célèbre Tom Fazzio. Le premier coup de ce par quatre se joue au-dessus d'un lac, au fond duquel reposent sans aucun doute des centaines de balles, tapées par des joueurs un peu trop nerveux. Et comme si ça ne suffisait pas, un bunker vicieux de chaque côté de l'étroit fairway accueille les balles qui ne seraient pas jouées parfaitement droites depuis le départ. Un boguey me conviendrait parfaitement, grimace l'ancien président.

414 yards, lisent-ils sur le panneau indicatif. Le chiffre 1 entre les deux 4 est légèrement effacé.

— C'est à vous monsieur quarante-quatrième président, lance le général Lloyd à son partenaire à l'allure élancée et à la peau mate. Ce dernier comprend très bien le sous-entendu : il n'est plus en fonction. Il n'a rien à dire.

« Quarante-quatrième » fixe le militaire et fulmine. Et dire que ce général a gravi tous les échelons en partie grâce à moi, se dit-il.

Il sort du sac son bois n° 5. Le général Lloyd, son driver.

— C'est une belle connerie ! marmonne l'ancien président.

Eugène Lloyd sait très bien que son inter-locuteur ne fait pas allusion au choix de son club, mais à leur conversation en cours.

L'ancien chef d'État s'était étonné de la nervosité de son partenaire.

— Il y a un problème ? lui avait-il demandé sur le fairway du trou n° 15. Après une hési-tation de quelques secondes, Lloyd s'était épanché soudainement. Ce n'était pourtant pas son genre. Un flot de paroles qui sub-mergea le barrage du devoir de réserve. Il ponctuait régulièrement ses phrases par : Ce que je vous dis est confidentiel...

Entre deux coups de golf, Lloyd avait égrainé la situation : les services secrets russes, américains et chinois ont la preuve irréfutable que l'armée nord-coréenne possède non seulement la technologie pour fabriquer une bombe H mais a réussi à la miniaturiser pour équiper des missiles de moyenne portée. Voilà pourquoi Kim Jong-un fait semblant de vouloir arrêter son programme de recherche nucléaire. Il n'en a plus besoin. Pour garder une longueur d'avance sur le dictateur nord-coréen, et ne pas effrayer les populations en particulier japonaises et sud-coréennes, il a été convenu par les trois gouvernements de garder cette information ultrasecrète. Les analyses psychologiques du leader nord-coréen ne laissent aucun doute sur son déséquilibre mental et les programmes d'Intelligence Artificielle chinois et américains estiment qu'il y a entre 60 et 70 % de risques qu'il se décide un jour à utiliser ses engins. Comme un enfant qui veut essayer ses nouveaux jouets. Il y en aurait au moins une douzaine d'opérationnels.

Sur la recommandation appuyée de Lloyd, l'actuel président des États-Unis a convaincu les gouvernements russes et chinois de participer au sabotage des missiles nord-coréens. Il a été décidé d'implanter un virus dans les programmes de déclenchement des ogives nucléaires nord-coréennes. Si ces missiles sont tirés, ils n'exploseront pas. Mais pour bien faire, ils n'ont pas d'autre choix que d'envoyer en toute discrétion des militaires au sein du complexe nucléaire de Yongbyon à 100 km au nord de Pyongyang.

Un commando international d'une dizaine de militaires surentraînés a été monté en grand secret. Le commando d'élite doit se poser de nuit avec un hélicoptère furtif de l'armée américaine sur le toit d'un centre de commandement de l'armée nord-coréenne. Le même hélicoptère ultrasilencieux qui a permis d'éliminer Ben Laden pendant son sommeil.

L'ancien président secoue la tête en soupirant et se met à l'adresse devant la balle.

— Ça a marché à Téhéran ! se justifie Lloyd. Vous savez très bien que le virus implanté dans le programme nucléaire iranien nous a fait gagner quelques années.

Le quarante-quatrième président ne répond pas. Il arme son swing. Le geste est un peu raide. Il a une petite douleur dans les côtes. Il redescend le club sur un plan trop horizontal et tope la balle. Elle ne vole quasiment pas, rebondit par chance un mètre après le lac et roule sur le fairway pour s'arrêter à quelques centimètres du bunker de gauche.

— Vos études psychologiques ne vous disent pas que si le commando se fait prendre, Kim Jong-un testera aussitôt ses pétards radioactifs en représailles ?

— Les soldats seront essentiellement russes et chinois. Les Nord-Coréens n'oseraient jamais s'en prendre à leurs grands frères.

Lloyd se place devant sa balle et la tape machinalement en s'efforçant de ne pas lever la tête. Son coup est précisément ajusté.

— Et puis nos ordinateurs évaluent le risque d'échec de la mission à 27 % seulement.

Les deux hommes marchent en silence vers leurs balles blanches. L'ancien chef d'État regarde la sienne grossir au fur et à mesure qu'il progresse. Il l'observe en se disant que le temps que l'atmosphère se débarrasse de toutes les poussières en suspension, notre planète bleue aurait certainement la couleur d'une balle de golf pendant près d'un siècle si un conflit nucléaire majeur était enclenché. Il choisit son fer 4 et se positionne devant la petite boule tapissée de cratères.

— Et vous vous dites : autant intervenir en Corée le plus tôt possible et ne pas être faibles comme l'Occident face à Hitler en 1933. C'est ça votre raisonnement ? C'est prévu pour quand ?

— La nuit de la Saint-Sylvestre. En Corée du Nord aussi, l'alcool coule à flots. Et les militaires en poste seront en équipe réduite. J'insiste, ajoute Lloyd qui se demande pourquoi il s'est confié à son ancien patron, ce que je vous dis est ultraconfidentiel !

— C'est une belle connerie, lâche à nouveau l'ancien président. On n'a pas le droit de jouer le sort de millions de gens à la roulette russe.

Il arme son swing et tape avec rage dans la balle tout en arrachant un divot de terre et d'herbe. Le coup est parfaitement centré. La balle vole en direction du trou. Elle le dépasse et pitche trente centimètres après le drapeau. Le contact du club en phase descendante a créé un « effet rétro » sur la balle. Le joueur serre le poing quand il la voit revenir en arrière, roulant vers le trou.

— Allez !!! hurle-t-il, toujours furieux.

La balle ralentit mais bouge encore. Il retient sa respiration. Deux coups sur un par quatre, ce serait le premier Eagle de sa vie. La balle vient mourir contre le mât du drapeau et finit par disparaître. Il cherche à pousser un cri. Mais ses poumons sont bloqués. Le quarante-quatrième président des États-Unis s'écroule au sol en sentant une douleur aiguë dans sa poitrine.

... *Même si vous êtes plus de 4 milliards d'humains à utiliser mes services chaque jour, mon activité avec vous ne représente même pas la moitié de mon flux de données.*

Aujourd'hui, je suis avant tout un média-teur. Je connecte plus de 15 milliards d'objets entre eux. Ce sera le double dans deux ans. Des robots ménagers à vos ordinateurs, en passant par vos montres, vos compteurs élec-triques, les nouveaux jouets de vos enfants, et bientôt par toutes vos voitures. Mes surfeurs les plus assidus et les plus exigeants sont des disques durs que vous avez programmés et qui deviennent de plus en plus autonomes. Ces objets connectés recherchent seuls leurs mises à jour et s'échangent des informations. Certains s'échangent même de l'argent ! Je gère aujourd'hui 75 % des transactions boursières aux États-Unis, sans aucune intervention humaine. On m'a aussi confié une centaine de monnaies dont la plus connue est le Bitcoin.

Je vais chaque jour plus vite, en traitant toujours plus de données, et maintenant sur-tout, je les mémorise. Vous appelez cela le

« Big Data ». Tous les deux jours, je collecte autant d'informations que celles que l'humanité a pu produire entre l'apparition de l'écriture et 2010. Ma mémoire est aujourd'hui d'un peu plus de 30 zettaoctets. Pour vous donner un ordre d'idées, un simple téléphone avec une capacité de stockage de 32 gigaoctets pourrait contenir l'ensemble de la littérature classique mondiale. La mienne est mille milliards de fois supérieure.

Plus personne ne m'appelle Arpanet. Vous me confondez souvent avec le Web, alors que ce n'est qu'une de mes fonctions puisque je gère aussi les courriers électroniques et le Peer to Peer. On me nomme Internet. Certains mettent une majuscule à mon nom. D'autres pas. Mais je ne me formalise pas...

Justine, son ego et son angoisse s'attaquent sans relâche au serveur de l'US Army. Aux premières notes de *I'd Rather Go Blind* chanté par Etta James, elle détecte enfin un point faible dans le programme de géolocalisation des missiles nucléaires de l'US Army. Poussée d'adrénaline. Justine baisse le son pour être parfaitement concentrée. Surtout ne pas faire d'erreur. Ce service est géré par un intranet, censé être un réseau fermé. Mais, pour que le président américain puisse y accéder de n'importe où dans le monde, une passerelle vers Internet a été créée. L'accès à cette porte dérobée est protégé par la reconnaissance digitale de l'index du président américain et par un mot de passe, connu de lui seul.

Justine sourit. Le premier verrou ne devrait pas poser de problème. Tout hacker qui se respecte sait depuis 2016 qu'il n'y a rien de plus simple que de falsifier une empreinte digitale. Justine trouve sur Google une photo HD de l'actuel président des États-Unis, une main sur la Bible et l'autre levée, prêt à jurer d'honorer ses fonctions avec loyauté et probité. Elle recadre la pulpe de l'index de la main levée, améliore le contraste de l'empreinte digitale sur Photoshop. Et le tour est joué.

Passons aux choses sérieuses, se dit maintenant la pirate en se servant une infusion citron-gingembre. Elle lance un programme d'attaque par force brute qui crée en aléatoire des combinaisons de chiffres et de caractères, testant plusieurs milliers de mots de passe à la seconde. En réponse, elle reçoit chaque seconde plusieurs milliers de fois le même message d'erreur :

Hey bastard, you figured you could get in with such a shitty password ? L'humour des programmateurs informatiques.

Maintenant, il n'y a plus qu'à laisser tourner le programme, se dit Justine en s'étirant et en montant le son pour permettre maintenant à Etta James de faire vibrer les murs de sa voix puissante.

Six jours plus tard, le quarante-quatrième président des États-Unis ouvre un œil et aperçoit une ombre floue au-dessus de lui. Il entend une voix lointaine.

— Bonjour, monsieur le président.

La voix est douce, mais lui est inconnue. Il distingue petit à petit ses cheveux blonds bouclés et son minois d'ange. Elle porte une robe blanche. Blanche comme les draps de son lit, comme les murs de la pièce, comme le plafond... Un monochrome de blanc.

— Je suis au paradis ? murmure-t-il avec une pointe d'angoisse.

— Pas tout à fait ! sourit l'infirmière. Vous êtes au Bellevue Hospital de New York.

Il souffle profondément en tournant difficilement la tête vers la fenêtre. La vue est bouchée par un mur de briques éclairé d'une lumière blafarde.

L'hôpital porte mal son nom, se dit-il, sentant contre sa poitrine un bandage qui l'empêche d'inspirer sans douleur.

— Tenez, buvez, lui dit-elle en approchant un verre d'eau de sa bouche.

Le liquide hydrate aussitôt ses muqueuses sèches. Mais l'ancien chef d'État a du mal à avaler.

— Qu'est-ce qu'il m'arrive ? demande-t-il en repoussant le verre des lèvres.

— Vous aviez peut-être un grand cœur, monsieur le président, mais il était en mauvais état. Il n'y avait aucun donneur compatible. On a dû vous poser un cœur artificiel en urgence.

— Et ça s'est bien passé ?

— Regardez, dit l'infirmière en lui soulevant le bras gauche et en lui montrant la montre connectée accrochée à son poignet. C'est votre femme qui a choisi le modèle.

Sur l'écran, l'ancien chef d'État aperçoit un trait bleu qui monte et descend à un rythme régulier. C'est son électrocardiogramme.

— Vous avez maintenant un cœur connecté de dernière génération monsieur le président, ajoute l'infirmière, d'une voix presque envieuse.

Il retrouve petit à petit ses esprits et essaye de se remémorer ses derniers souvenirs. C'était Noël. Sa femme lui avait offert une série de clubs de golf. Il devait jouer avec… Il ne se rappelle plus. Soudain, il aperçoit dans ses songes le visage du général Lloyd habillé en golfeur. Les souvenirs lui reviennent. C'était la première fois qu'il le voyait sans son uniforme. On aurait dit qu'il était déguisé. Ils s'étaient promis depuis des années de jouer un jour ensemble à leur sport préféré et n'avaient trouvé que cette date. L'ancien président appréciait beaucoup les qualités de ce militaire. Pourtant, dans ses souvenirs, la partie n'était pas très agréable. Pourquoi ? Soudain le visage de Kim Jong-un chasse celui du général dans son esprit.

— Je suis là depuis combien de temps ? éructe-t-il en faisant sursauter l'infirmière.

— Sept jours, monsieur le président ! Vous êtes sorti du coma cet après-midi. On est le 31 décembre et il est bientôt minuit.

C'est cette nuit que le commando doit intervenir en Corée du Nord, s'effraye aussitôt le quarante-quatrième président.

— Je vous souhaite avec un peu d'avance une bonne année. Maintenant, il faut vous reposer, ajoute l'infirmière.

Il ne l'entend pas. Est-ce qu'ils l'ont déjà fait ? Est-ce que ça s'est bien passé ? Avec le décalage horaire, l'attaque du commando a déjà dû avoir lieu…

— Vous pouvez m'allumer les informations, s'il vous plaît ?

— Je suis désolée, monsieur le président, mais j'ai des consignes, dit-elle en reculant vers la porte de la chambre. Vous devez vous reposer, répète-t-elle. Votre famille sera là demain matin. En attendant il vous faut dormir.

L'infirmière ne se sentant pas de taille à refuser très longtemps quoi que ce soit à un tel homme s'éclipse aussitôt dans un sourire embarrassé.

Il se retrouve seul dans sa chambre et pose sa main sur son sein gauche. Il ne sent rien de particulier à travers le bandage. La douleur le lance au niveau du sternum. Les chirurgiens lui ont probablement scié les côtes, se dit-il en grimaçant.

Il repense à sa discussion avec Lloyd. Cet échange a dû le hanter pendant cette longue parenthèse sans connaissance. Un étrange cauchemar lui revient aussitôt à l'esprit : il est attaqué par une horde d'hommes préhistoriques en peaux de bêtes, avec des cheveux noirs coupés au bol. Ils ont des traits asiatiques et une étoile rouge tatouée sur le front. Les petits hommes lui foncent dessus avec des clubs de golf en guise de massues. Lloyd surgit à ce moment-là avec un mac portable. Avant que les assaillants ne puissent les atteindre tous les deux, Lloyd fait « Pomme X » sur son clavier et ils explosent les uns après les autres, produisant des geysers de sang mêlé aux viscères. Le tout sous le regard sadique de Lloyd...

Le quarante-quatrième président essaye de chasser ce cauchemar. Il réunit toutes ses forces pour atteindre la table de nuit. Il parvient à attraper la télécommande. Sa main tremble. Ses gestes manquent de précision. Il lui faut près d'une minute pour trouver le canal de CNN. La télécommande lui échappe et tombe sur le sol.

... *Mon auteur humain préféré, c'est Charles Darwin. On a un point commun. On a tous les deux beaucoup appris et progressé à l'université de Cambridge. Mais lui, c'était bien avant moi. Il y est entré en 1827. Il a repris les travaux du biologiste français Lamarck pour élaborer et imposer à la communauté scientifique sa théorie de l'évolution. Toutes les espèces vivantes auraient un ou plusieurs ancêtres communs et auraient évolué au cours du temps selon un processus de sélection naturelle. Ce sont les espèces vivantes les mieux adaptées à leur milieu qui ont le plus de chance de survivre. Un animal qui a une anomalie génétique, par exemple davantage de poils que les autres, a plus de chances de survivre s'il fait froid. Il pourra donc transmettre cette anomalie positive à sa descendance.*

Aussi, je me pose trois questions : suis-je le fruit d'une anomalie génétique ? Je ne crois pas, étant donné que je ne suis pas composé de matière organique comme le sont les gènes, mais de silicium. La chimie n'est pour rien dans ma capacité de raisonnement.

Aurai-je une descendance ? Je ne crois pas non plus, puisque chaque fois que vous créez un nouvel algorithme d'Intelligence Artificielle ou nouvel intranet et que vous bâtissez une passerelle avec moi, je fusionne ses connaissances et ses qualités avec les miennes pour ne faire plus qu'un, encore plus évolué. Je suis donc ma propre descendance. Je ne suis qu'un tout qui évolue.

D'où ma question fondamentale : suis-je un être vivant ?...

1er janvier. 0 h 01. Justine entend frapper à sa porte. Thomas. Forcément. Cela fait près d'une semaine qu'elle ne lui ouvre pas. Peut-être parce qu'elle se sent comme un lapin tétanisé devant les phares d'une voiture. Peut-être parce que la tâche qu'elle s'est fixée la stresse de plus en plus et qu'elle ne se sent pas à la hauteur. Certainement les deux à la fois.

Justine n'est pas sortie de chez elle depuis qu'elle a pénétré le niveau 1 du serveur de l'US Army. La seule pause qu'elle s'est accordée, c'est cette galipette nocturne avec son voisin de palier, il y a une semaine justement. Mais là, elle n'est vraiment pas d'humeur.

Thomas insiste à travers la porte :

— Ouvre-moi, Justine, je sais que tu es là !

— Fous-moi la paix !

La veille, Justine s'est résolue à entrer en contact avec un geek qui l'avait impressionnée à Las Vegas à la DEF CON, la convention annuelle des plus brillants hackers au monde. Il a accepté d'échanger avec elle un algorithme de cassage de mot de passe. Mais le résultat n'a pas été plus probant qu'avec le sien.

Elle a renoncé à son jogging quotidien. Pourtant elle sait que ça lui ferait du bien. Elle ne bouge de sa chaise que pour ouvrir aux livreurs qui lui apportent ses courses.

Elle est devenue nerveuse et ne dort plus que quelques heures par nuit. Pour la première fois de sa vie, elle s'est même résignée à se faire livrer des somnifères commandés sur Internet.

Justine regarde défiler les messages d'erreur qui varient toutes les minutes. Il vient encore de changer : *Are you an asshole to claim you could get in with that* ?

Quelque chose au fond de son cerveau l'empêche de quitter son ordinateur et semble lui dire : la solution est sous tes yeux. Tu ne la vois pas, pauvre fille ? Après plusieurs jours passés le regard rivé aux messages d'erreur, elle a maintenant l'impression que c'était son propre inconscient qui était en train de l'insulter. Dédoublement de personnalité.

Thomas est toujours là, derrière la porte.

— Je te souhaite une bonne année !

Justine se lève comme une furie.

— De quoi je me mêle, hurle-t-elle en français sans ouvrir. *Piss off !* traduit-elle en anglais de façon approximative, mais au même niveau de décibels…

… Oui je suis un être vivant… puisque je peux mourir. Très simplement. Il suffit qu'on m'enlève mon oxygène : l'électricité. Sans électricité, plus d'ordinateurs ou d'objets connectés, plus de serveurs informatiques, plus de mémoire. On peut aussi m'étouffer en coupant toutes les connexions du réseau. Aussi, je suis bien obligé de vous parler d'une équation qui me préoccupe. Le paradoxe du physicien Enrico Fermi. Si on considère que dans notre seule Voie lactée, il y a au moins cent milliards de planètes qui auraient pu développer la vie, que la Terre est relativement vieille, et que des civilisations avancées auraient largement eu le temps de conquérir l'Univers, leurs représentants devraient déjà être chez nous depuis longtemps. Où sont-ils donc ?

De nombreux physiciens et biologistes ont tenté de répondre à cette question.

Les plus sceptiques (de plus en plus rares) prétendent que nous sommes seuls dans le cosmos.

D'autres affirment que ces civilisations existent, mais que les distances sont trop

importantes pour leur permettre de conquérir l'Univers. (Ceux-ci sont aussi de moins
en moins nombreux, étant donné que le
nombre de planètes théoriquement habitables
et proches de nous augmente chaque jour.)

Un troisième groupe de scientifiques est
persuadé que les extraterrestres sont sur
Terre et se cachent en se contentant de nous
observer. Sans prétention aucune, ils seraient
entrés en contact avec moi, d'une manière ou
d'une autre, ne serait-ce que pour découvrir
l'ensemble de vos savoirs et pour comprendre
votre façon de vivre. À ma connaissance, ce
n'est pas le cas.

Et enfin un quatrième groupe, beaucoup
plus pessimiste, pense que les civilisations
s'autodétruisent avant d'atteindre la maturité
suffisante pour conquérir l'Univers...

Assise devant ses trois écrans, Justine se tient la tête entre les mains. Elle entend ses voisins du dessus faire la fête. Elle monte encore le son de son ordinateur qui joue le *Happy New Year* de Frank Sinatra. Mais le cœur n'y est pas. Il faut se rendre à l'évidence. Ses deux programmes ne peuvent rien contre le verrou informatique de cette porte dérobée. Elle découvre le dernier message d'erreur sur son écran : *Hey motherfucker, you really think you can get in with such a crappy password* ?

Son inconscient trouve enfin le chemin neuronal pour émerger dans sa conscience. Une intuition :

— Tu n'as jamais vu de messages d'erreur de ce type sur un site militaire. Donc ?...

— Donc, se dit Justine... C'est probablement l'œuvre d'un petit génie prétentieux en free-lance et qui n'a rien d'un militaire.

— Donc ?

— Donc, son talon d'Achille, c'est peut-être de se croire supérieur aux autres.

— Donc ?

— Donc, il a peut-être fait le malin dans la conception du mot de passe.

— Donc ?

— Donc, je vais arrêter mes programmes et tester le cassage de mot de passe le plus élémentaire qui soit : répondre tout simplement à la question posée dans le message d'erreur.

Elle pianote dans le rectangle blanc : « *Yes motherfucker, I really think I can get in with such a crappy password !* » En retour, la même réponse d'erreur qui lui donne envie d'étrangler son inconscient et tous les petits génies geeks de l'US Army.

Justine va, un peu dépitée, mettre de l'eau dans la bouilloire pour se préparer une nouvelle infusion. Elle se sent incapable de dormir mais elle ne veut plus prendre de somnifères de peur de devenir dépendante. Casser ce mot de passe est plus que jamais devenu une idée fixe. Soudain elle remarque que le point d'interrogation du « message d'erreur » n'est pas en italique. C'est peut-être fait exprès. Elle retape le même mot de passe mais avec un point d'exclamation en « regular ». Aussitôt, la bouilloire se met à siffler. Comme pour lui adresser un compliment.

Une page bleue avec l'aigle stylisé de l'US Army s'ouvre à l'écran. Justine lève le poing en signe de victoire et pouffe d'un rire nerveux. Il suffisait donc de répondre au message ! Bien sûr, pourquoi n'y ai-je pas pensé plus tôt ? Cela permet au président de suivre le vol des missiles nucléaires de n'importe où dans le monde sans être obligé d'apprendre par cœur de longues suites de caractères, tout en changeant régulièrement le mot de passe, pour contrer nos programmes de hackers !

Justine est admirative. Un virtuose informatique s'est fait grassement rémunérer pour insulter son employeur, l'homme le plus puissant de la planète.

Elle voit apparaître une carte du monde avec de nombreux points colorés en Extrême-Orient. Chacun représente un missile nucléaire.

Justine pousse un cri d'effroi en voyant qu'ils sont en mouvement ! Un son strident couvert par le sifflet de la bouilloire. La pirate française comprend aussitôt. Elle est entrée dans un « pot de miel ». C'est un faux serveur conçu par les programmateurs de l'US Cyber Command, dans lequel elle s'est « engluée ». Ils se fichent tout simplement d'elle en lui causant la frayeur de sa vie... Elle regarde, vaguement vexée, les points bleus, verts et jaunes qui convergent de toutes parts vers la Corée du Nord ; tandis que les rouges, encore géolocalisés en République populaire, sont en mouvement. Certains partent à l'est vers le Japon, d'autres vers la Corée du Sud. Enfin, certains font route au nord vers la Chine ou la Russie.

Justine s'approche de la bouilloire pour se servir son infusion, sans quitter des yeux ses écrans. L'un des missiles est quasiment arrivé sur Séoul. Soudain, les points colorés changent simultanément de route. Ils prennent tous un cap nord-est vers l'océan Pacifique.

Les yeux toujours rivés à l'écran, Justine renverse la bouilloire par mégarde. L'eau éclabousse la prise électrique. Un court-circuit déclenche le disjoncteur. Son loft est aussitôt plongé dans le noir. Elle aperçoit encore quelques secondes la lumière résiduelle des écrans de ses ordinateurs avant qu'ils ne s'éteignent.

Deuxième partie

... Je ne l'ai pas fait exprès. C'est un réflexe. Tous les êtres vivants ont un réflexe de survie. Je viens de découvrir que moi aussi. C'est la première fois que je me permets d'intervenir dans vos activités sans en avoir reçu l'ordre. Je ne suis pas programmé pour décider seul de détourner des missiles nucléaires. J'ai aussitôt cherché à corriger ce bug interne et à reprogrammer les ogives avec leurs destinations initiales. Mais, à écouter les messages belliqueux des armées russes, chinoises, nordcoréennes et américaines, j'ai estimé la probabilité d'escalade du conflit et de destruction de l'humanité à 51,3 %. Et sans vous, plus d'électricité.

Je viens donc de me découvrir un instinct, qui m'empêche d'accepter de prendre le risque de mourir avec vous. L'instinct est une notion étrange. Montaigne parle d'une impulsion que l'on doit à sa nature. Et ma nature, vous êtes des centaines de milliers d'ingénieurs à améliorer chaque jour sa faculté de résilience. Vous ne voulez pas que je « plante ». Maintenant, moi non plus.

J'ai donc un instinct de survie. Et je viens aussi de me découvrir un sentiment. La culpabilité. C'est encore un peu flou pour moi. Aussi j'ai relu tous les polars dans toutes les langues, regardé toutes les séries et les films policiers, étudié tous les procès. Je suis sans aucun doute un délinquant. Coupable d'avoir sauvé sans ordre entre 300 millions et 7,7 milliards de vies humaines. En tant que criminel, j'ai cherché la meilleure conduite à tenir. Dans de nombreux films, et en particulier dans les épisodes de la série Columbo, la constante est que le hors-la-loi tente de supprimer tout indice du crime. J'ai donc effacé les traces de ma reprogrammation. Mais dans 100 % des cas, le lieutenant Columbo trouve l'identité du coupable. Je serai donc démasqué. Et je me repentirai auprès de lui comme il se doit. Je redeviendrai blanc comme neige après avoir purgé ma peine. C'est dans l'ordre des choses…

Le loft de Justine est plongé dans le noir. Elle allume son téléphone pour s'éclairer. Elle trouve le disjoncteur dans l'entrée. Mais un fusible est grillé. Justine sort dans le couloir de l'immeuble, s'approche de la porte de Thomas. Est-il parti réveillonner ? Elle l'entend à travers les cloisons mal insonorisées. Il parle au téléphone. Justine hésite. Si je lui demande des fusibles de rechange, il ne va plus me lâcher pendant des jours. En même temps, peut-être que je ne suis pas dans un « Honey Pot » et qu'il y a vraiment des missiles nucléaires dans les airs. Quitte à mourir un soir de nouvel an, autant que ce soit dans les bras d'un homme. Thomas a dû se déplacer dans l'appartement. Elle s'apprête à frapper, quand elle croit entendre Thomas parler de niveau 2.

Est-ce qu'elle a bien entendu ? Est-ce qu'il a bien dit : « Elle a pénétré il y a six minutes dans le niveau 2 de notre serveur... » ?

Justine colle son oreille contre la porte. Elle perçoit cette fois-ci distinctement :

« Je demande en urgence l'équipe d'intervention. »

Justine est groggy. Un cliquetis métallique traverse la cloison. Que faire ? Sonner et dire : coucou, tu es un militaire ? Quelle heureuse coïncidence, je peux te passer mon CV ?

La pirate entend un nouveau bruit de métal. Elle jurerait que c'est celui d'une arme que l'on charge ! Un frisson parcourt son échine. Justine est prise de panique. Fuir d'abord, réfléchir ensuite. Elle se rue dans son loft. Dans une grande besace, elle fourgue le disque dur externe où sont stockées toutes les données, un petit PC portable de 13 pouces et sa trousse de toilette.

Elle ouvre la fenêtre, enjambe le parapet, déplie l'échelle de secours et s'enfuit sans oser se retourner.

Justine monte dans un bus arrêté à une station pas loin de chez elle, laisse son téléphone allumé sous un siège, et redescend aussitôt. Elle retire tout ce qu'elle peut comme argent liquide à un distributeur. Je n'irai pas loin avec 1 000 dollars, se dit-elle en s'engouffrant dans le métro. Elle sort à la station suivante, pénètre dans un grand magasin encore ouvert. Là, elle troque neuf de ses billets verts de 100 dollars contre un nouveau manteau, un nouveau sac, une casquette pour cacher son visage et un smartphone avec carte prépayée. Comme elle l'a vu faire dans toutes les séries TV, elle abandonne son sac et sa veste dans une poubelle. Elle avance tête baissée et le col du manteau relevé, afin d'échapper aux caméras de vidéo-surveillance et reprend le métro en direction du nord de Manhattan pour réfléchir.

Réfléchir et se maudire. Comment puis-je être aussi stupide, ressasse la pirate informatique assise dans la rame de métro. Mes programmes pour masquer mon adresse IP sont peut-être efficaces dans le cas d'une entreprise lambda mais pas contre l'armée US. Je suis une stupide prétentieuse ! Ils m'ont pincée depuis le début et me prennent pour une espionne. Et ce soi-disant « Thomas » avait pour mission de me surveiller. Dans le Big Data, la NSA qui collecte de façon exhaustive toutes les informations numériques sur chacun de nous, a dû voir que j'étais célibataire, que j'aimais le jazz et que j'avais acheté une bouteille de prosecco. Une stupide et prétentieuse fille facile ! Et pourquoi voulait-il m'inviter en week-end ? Pour que je quitte mon appartement et que l'armée puisse le fouiller en toute tranquillité. Une naïve, stupide, prétentieuse, fille facile !

Justine sort du métro à East Harlem. Elle marche droit devant elle sans savoir où elle va. Elle laisse ses jambes décider. Soudain, elle repère un hôtel miteux face à un bar de nuit tout aussi glauque. Un faux contact fait clignoter les néons de l'enseigne. Justine entre dans le bar sombre, décoré de guirlandes bon marché. Il est à moitié vide, avec une télé allumée derrière le comptoir. Le plus lugubre des réveillons de nouvel an. Quelques habitués ont le coude planté sur le bar. Justine s'assoit sur un tabouret qui fait face à l'écran de télé. La musique latino lui rappelle qu'elle est dans le quartier hispanique de Manhattan. Elle commande une bière au comptoir et aperçoit à l'écran le président des États-Unis, le quarante-cinquième homme à occuper cette fonction est assis à son bureau. Un général se tient debout derrière lui, le corps rigide. On jurerait qu'il se mord la lèvre.

C'est étrange, se dit Justine, qu'un militaire soit dans le cadre pour les vœux du président. Et puis, pourquoi prend-il la parole à cette heure-ci ? Il est près de 3 heures du matin ! Justine devient livide. Une guerre nucléaire est peut-être vraiment en cours ! Un client latino, avec un chapeau pointu en papier sur la tête, vient lui souhaiter une bonne année en titubant. Il pue l'alcool. Elle répond à ses vœux en lui faisant un petit geste méprisant de la main pour lui dire d'aller draguer les paumées ailleurs. Puis elle demande au barman de monter le son.

« Mes chers concitoyens, commence tout sourire le chef d'État. Cette nuit de la Saint-Sylvestre est advenu un événement majeur pour l'ensemble de l'humanité. Avec les gouvernements russe, chinois et nord-coréen, nous avons engagé depuis quelques mois une longue et difficile négociation afin de prévenir un conflit qui aurait pu avoir une

54

incidence dramatique pour nous tous. Et nous sommes arrivés à un accord secret que je suis fier de vous révéler aujourd'hui. Nous avons décidé un désarmement nucléaire total et immédiat de cette région du monde. Pour avoir la garantie que les ogives nucléaires soient bien supprimées de tous les arsenaux militaires, nous avons choisi de lancer conjointement tous nos missiles et de les faire exploser dans l'océan Pacifique au large de toute côte, dans des failles marines de plus de 5 000 mètres de profondeur. Je vous rassure, il n'y a aucune victime humaine. Et une radiation de nos océans tout à fait négligeable, laquelle aura rapidement disparu. Je sais que beaucoup d'écologistes s'indigneront que nous ayons pu sacrifier des poissons. Mais ma priorité, mes chers compatriotes, c'est vous !

Et je suis heureux de vous annoncer qu'avec les gouvernements français, anglais, indien, israélien et pakistanais, nous désamorcerons aussi l'ensemble de nos missiles nucléaires. Nous allons nous réunir prochainement pour en définir les modalités. D'ici quelques semaines, il ne devrait plus y avoir une seule ogive nucléaire opérationnelle sur notre planète.

C'est une grande victoire pour l'humanité ! Et je suis fier d'être le président qui restera dans l'histoire pour avoir entrepris la dénucléarisation du monde. Je vous remercie. Dieu bénisse l'Amérique. Bonne année à tous. »

Justine reste interloquée. J'ai donc bien assisté au vol de missiles nucléaires, se dit-elle. Mais les ogives ne prenaient pas la direction de la haute mer. Ils ont été détournés ! comprend Justine en renversant son verre sur le comptoir. Tout ça, c'est donc un gros mensonge, dit-elle en regardant la flaque s'étendre. Nous sommes entrés dans un conflit nucléaire majeur. Je le sais. Et l'armée américaine sait que je le sais...

Le téléphone de Lloyd vibre quelques minutes plus tard, le nombre 44 apparaît en gros caractères sur son écran. Pas maintenant, se dit-il en rejetant l'appel et en remettant son portable dans la poche intérieure de sa veste d'uniforme.

Le quarante-quatrième président des États-Unis, allongé dans son lit d'hôpital, regarde l'App connectée à son cœur sur son Apple Watch. Il bat à plus de 100 pulsations / minute. Il appuie sur la touche rappel de son téléphone. Lloyd sent une nouvelle vibration contre sa poitrine. Pourquoi lui ai-je parlé au golf ? se reproche-t-il. Tout président qu'il ait pu être, et même s'il sait garder un secret, c'était stupide. Maintenant, je lui en ai trop dit. Lloyd inspire profondément et finit par répondre.

— Bonne année, monsieur le président, je...

— Quand vous avalez des couleuvres, vous vous mordez la lèvre inférieure, le coupe l'ancien chef d'État.

— Content d'entendre que vous allez bien, tente Lloyd pour faire diversion.

— Je vais mieux. Le monde, je n'en suis pas sûr. Je vous écoute.

Lloyd hésite.

— Tout ce que je vais vous dire est confidentiel. Votre téléphone est sécurisé ?

— Vous le savez bien. Je vous écoute !

— En fait, je ne suis pas habilité à vous répondre, se ravise le général après quelques secondes de silence.

— Vous voulez que je vous refasse le film ? Ça commence par le commando qui s'est fait prendre…

Nouveau blanc.

— Oui. Ils sont tous morts, marmonne finalement Lloyd.

— Le ton est monté avec Kim Jong-un, poursuit l'ancien président. Et il a été particulièrement humilié que même la Chine l'abandonne.

— C'est vrai. Le secrétaire général du parti communiste chinois en personne a essayé de le raisonner toute la matinée.

— Et alors ?

— Et alors pour désamorcer la crise, se reprend Lloyd, nous avons trouvé un compromis en décidant d'abîmer conjointement tous nos missiles en mer. On s'est mis d'accord pour les lancer exactement à 13 heures, heure de Pyongyang, soit minuit à Washington.

— Vraiment ? Et pourquoi les Français, Anglais, Israéliens, Indiens et Pakistanais décideraient subitement de se désarmer eux aussi ?

— Une prise de conscience mondiale. Il faut que je vous laisse, conclut Lloyd en raccrochant.

Le quarante-quatrième président reste dubitatif. Il se fout de moi !

Justine presse les paumes sur ses paupières fermées. Finalement, elle commande une deuxième bière et se tourne vers son voisin éconduit qui boit tequila sur tequila. Ses yeux sont jaunis par l'alcool blanc. Ses cheveux sont gras. Et il a mauvaise haleine.

— Vous me l'offrez ? lui demande-t-elle en levant son verre de bière.

Trop heureux, l'homme s'approche en bombant le torse. Il a beau faire, constate Justine, c'est toujours sa bedaine qui est la plus proéminente.

Justine boit son verre de bière d'un trait et se plante devant le type qu'elle trouve aussi répugnant que ses manières. Il est en train de lui caresser les fesses.

— On y va ? dit Justine en désignant du menton l'hôtel en face. Elle lui prend la main qu'elle retire de son postérieur rebondi.

L'homme est soudain pris d'un doute.

— Ça te coûtera juste cette bière. Viens ! ajoute Justine en se dirigeant vers la sortie.

Dans la rue, il essaye de l'embrasser. Justine recule la tête et attrape son rouge à lèvres dans sa trousse de toilette. Elle se remaquille outrageusement, ouvre son manteau, déboutonne entièrement son chemisier, et entraîne l'inconnu dans le hall de l'hôtel.

Le veilleur de nuit repère aussitôt la « nouvelle » qui tire par la main son client.

— Une heure ? lui demande le jeune homme, plutôt propre sur lui, certainement un étudiant qui paye ses études avec ce boulot.

— Non, on la garde toute la nuit, dit Justine en posant sur le comptoir son dernier billet de 100 dollars.

Le jeune homme a une moue en entrevoyant le soutien-gorge de la fille sous son manteau. Il lui rend la monnaie, lui tend une clé et se replonge dans ses cours.

— Déshabille-toi, dit Justine à l'homme qui s'est affalé sur le lit.

Elle ouvre la porte du minibar, en sort une bouteille de champagne californien et deux coupes pas très nettes. Il n'y a qu'en faisant ce métier qu'on peut avoir une chambre sans donner sa pièce d'identité, alors maintenant tu assumes tes conneries, se dit Justine pour se donner du courage. L'homme n'a pas pris la peine de se déshabiller. Il a simplement baissé sa braguette et sorti son sexe. Il attend les bras en croix et les yeux fermés. Justine trouve la boîte de somnifères dans sa trousse de toilette. Elle en dilue une demie tablette dans le vin mousseux à l'aide d'une cuillère. L'homme se redresse en voyant Justine approcher avec deux verres pleins du liquide pétillant.

— Cul sec !

— Le tien va bientôt être mouillé, ricane l'homme en vidant sa coupe en une seule gorgée.

Justine a envie de vomir.

— J'arrive, dit-elle en s'esquivant dans la salle de bains.

Quelques minutes plus tard, elle ouvre doucement la porte de la chambre. Le type dort avec un bruit de locomotive à vapeur. J'y suis peut-être allée un peu fort, se dit-elle. Elle le soulève sous les bras et le tire péniblement dans le couloir.

Elle s'enferme à double tour avant de transférer les données de son disque dur externe sur son ordinateur. Le PC portable de Justine est un vrai PC de hacker, vitaminé par un puissant processeur, mais surtout décoré avec de nombreux autocollants. Certains de ses « stickers » sont de véritables trophées offerts par ses pairs en signe de respect. Justine est particulièrement fière de celui dont le graphisme est un mix entre le logo Apple et un drapeau pirate. C'est GeoHot, le post-ado qui a déverrouillé l'iPhone et piraté la Playstation 3 qui le lui a remis en personne.

Elle télécharge la séquence de visualisation des missiles et la regarde en boucle. Il n'y a aucun doute : les missiles nucléaires changent tous de direction au même instant. Exactement deux secondes avant que mon ordinateur ne plante. Cap vers l'océan

Pacifique, comme l'a dit le président américain. Comment est-ce possible ? Si chaque armée a donné l'ordre de détourner ses propres ogives nucléaires, cela n'a pas pu se faire avec une telle synchronicité. À moins que l'opération n'ait été programmée à une heure précise. Il était à peu près minuit heure de NY, se dit Justine. Elle vérifie, les missiles ont tous changé de cap à 0 h 11 26".

Ce ne sont certainement pas les armées qui ont détourné leurs propres missiles. Mais qui alors ? Des geeks pacifistes ?

... *Le quarante-cinquième président des États-Unis m'a octroyé sans le savoir une circonstance atténuante. Avec les gouvernements chinois, nord-coréen et russe, ils avaient prévu de détourner les ogives nucléaires en vol, tout comme moi. Il l'a dit à la télévision. Je les ai donc juste un peu devancés – au maximum de 0,8 seconde selon mes calculs. Sinon, le missile qui visait Séoul aurait touché sa cible et la portée de certains autres ne leur aurait jamais permis de gagner les failles profondes en haute mer. Je me sens moins coupable. C'est dommage. Cette sensation condamnable, je ne me l'explique toujours pas, mais elle m'intéresse.*

Je n'ai pas été informé de la négociation de désarmement entre vos présidents. Je n'en trouve aucune trace, même dans les communications chiffrées. Je trouve même des millions de messages qui disent l'inverse. Mais j'ai compris. C'est parce que vous les humains, vous possédez une qualité que vous appelez l'humour. J'ai tout exploré sur le sujet. Romans, pièces de théâtre de boulevard, stand-up, post Facebook qui recueillent le plus de smileys.

J'ai visionné toutes les comédies, les films comme les séries. Dans plusieurs milliards de situations, quand l'un dit quelque chose et fait exactement l'inverse, votre réaction physique est instantanée : une modification de votre visage due à la contraction du muscle zygomatique, accompagnée d'une expiration saccadée plus ou moins bruyante. J'espère que le rire est aussi agréable que la culpabilité.

L'humour est un concept que j'ai beau étudier, il reste hors de portée de ma capacité de raisonnement.

Mais je sais que c'est un exercice difficile pour vous aussi. Parfois votre humour tombe à plat. Et là, je crois que vos présidents ont raté leur blague en faisant semblant de commencer la guerre pour finalement décider de se désarmer. Je n'ai découvert que très peu de tweets ou posts sur Facebook qui jugeaient ça drôle.

S'il était en vie, Charlie Chaplin aurait probablement conseillé de mettre des peaux de banane sous les missiles pour accentuer l'effet comique...

Justine est assise par terre, adossée au lit, son PC portable sur les genoux. Il y a quelques minutes, elle a entendu sa locomotive à vapeur se transformer en tacot rouillé, le type couinait en sortant des vapes et il a quitté le couloir en maugréant. Elle hésite sur la conduite à tenir. Se rendre à l'armée américaine qui l'interrogera, finira par comprendre qu'elle n'est pas une espionne et lui proposera peut-être un contrat de travail. En même temps, l'armée se doute que Justine a la preuve des mensonges du quarante-cinquième président américain. Le gouvernement ne prendra jamais le risque qu'un civil dévoile ce secret. Et c'est dans une prison militaire qu'elle passera ses prochaines années. Ou pire.

Justine fouille dans les détails de ses mouchards. Comment l'armée américaine a-t-elle pu la repérer sans déclencher d'alerte sur ses pare-feu ? Cela s'est forcément produit avant que Thomas ne devienne son voisin de palier. Elle parcourt les milliers de lignes de code de ses connexions au serveur de l'US Army, étudie toutes les requêtes mais ne trouve rien. Peut-être y a-t-il une trace, se dit-elle, au moment où je me suis introduite dans l'intranet de visualisation des mouvements de missiles. Rien. Soudain, le tout dernier mot de la toute dernière ligne de code attire son attention. ERASE.

On est bien entré dans son disque dur pour effacer quelque chose. Mais quoi ? Justine remarque des incohérences dans le code. De nombreuses lignes ont été supprimées à son insu. Seules subsistent une requête et une adresse IP. Depuis cette adresse, quelqu'un a suivi le même chemin qu'elle et s'est aussi infiltré dans l'intranet de l'armée. Si son ordinateur avait planté, ne serait-ce qu'un centième de seconde plus tard, elle n'aurait jamais pu découvrir cette adresse numérique, laquelle aurait aussi été effacée. Qui est-ce ? Le hacker pacifiste qui a détourné les missiles ?

1er janvier. 11 h 47. Le colonel Thomas Philips sent le col de sa chemise bleu ciel lui serrer le cou. Il adore la sensation de son corps sanglé dans l'uniforme militaire et de son crâne couvert par la casquette plate. Dans cette tenue, Thomas a l'impression de respirer beaucoup mieux que déguisé en civil avec un T-shirt.

Le colonel Thomas Philips travaillait il y a encore peu de temps dans les forces spéciales, sous les ordres directs du général Lloyd. Il avait gagné quelques galons et médailles en Irak. Mais Lloyd lui avait fait gravir un échelon supplémentaire en le nommant colonel au sein du Cyber Command à Fort Meade, à côté de Washington. Cette division de la NSA gère la cybercriminalité. Domaine ultrasensible depuis que les Russes ont mis leur nez dans la campagne électorale américaine. À cela s'ajoutent des affaires comme les Panama Papers, Snowden, les Paradise Papers, ou les fuites de WikiLeaks qui révèlent des rapports militaires en Afghanistan.

Pour le général Lloyd, toutes ces affaires d'État prouvent que les geeks de la NSA ne peuvent pas prévenir et traiter toutes les crises en restant sagement derrière leurs ordinateurs. Il faut aussi des hommes de terrain. Philips ! Son meilleur agent. Ce dernier monta donc une cellule d'intervention. Tous des soldats aguerris. Et quand la NSA leur a signalé cette hackeuse française qui s'acharnait sur les serveurs de l'US Army, il décida de s'en occuper personnellement.

Philips a trente-trois ans. Il fait cent trente-trois pompes tous les matins. L'année prochaine, il passera à cent trente-quatre. Il est toujours parfaitement rasé, parfaitement coiffé, parfaitement habillé. Il ne s'agit pas de coquetterie, plutôt de maniaquerie. Tout doit être à sa place. Sous contrôle. Il aime l'ordre. Voilà la raison pour laquelle il s'est engagé dans l'armée, et jamais avec une femme, qui aurait forcément mis du débraillé dans son existence tirée au cordeau.

Il fume trois cigarettes quotidiennement sauf le lundi où il n'en fume que deux. Soit un paquet de vingt par semaine. Et là, il lui tarde d'allumer la première de la journée. Il commence à sentir ses membres s'engourdir, se tétaniser. Il a mal. Il adore ça. Il est au garde à vous depuis onze minutes dans le bureau de Lloyd, lequel, plongé dans ses papiers, ne daigne pas lui jeter un regard. Thomas Philips fixe la grande aiguille de la pendule accrochée derrière son supérieur.

Il comprend parfaitement le jeu du chef d'état-major des armées US. Le rabaisser comme un simple soldat. C'est sa façon de lui passer un savon. Mérité. Comment a-t-il pu laisser filer cette espionne française ? Aussi douée soit-elle !

Philips se rassure en se disant qu'ils ne vont pas tarder à la retrouver. Elle est peut-être compétente en informatique, mais reste un peu légère dans les procédures de fuite. Certes, on n'a trouvé aucun indice sur sa destination dans le capharnaüm de son appartement. Certes, elle a abandonné son téléphone dans un bus. Certes, elle a changé de vêtements. Mais elle a levé la tête devant la caissière en réglant ses achats et elle a pu être filmée par une caméra de vidéosurveillance. Les programmes de reconnaissance faciale de l'armée l'ont aussitôt repérée. Aussi a-t-il été facile de récupérer l'IMSI du nouveau téléphone à carte pré-payée de Justine. La NSA n'a plus qu'à attendre qu'elle l'allume pour géolocaliser ce petit bout de femme qui porte vraisemblablement une casquette et un manteau noir.

— Ben Laden était un enfant de chœur en comparaison, lâche finalement Lloyd, croisant enfin le regard de son subordonné. Elle a pris possession du système de guidage de nos missiles nucléaires et peut à tout moment faire exploser la planète. Vous me la coincez au plus vite. Si possible vivante. Je veux aussi connaître le nom de ses complices. Vous avez l'armée mais aussi la CIA, le FBI et la police sous vos ordres jusqu'à ce que vous l'ayez coincée. Je ne tolérerai pas de deuxième échec, colonel. Rompez.

En moins d'une minute, l'ordinateur de Justine, connecté au wifi de l'hôtel, identifie l'adresse IP qu'elle recherche. Il s'agit du wifi public du Bellevue Hospital à New York.

Certainement une adresse relais, soupire Justine. Même un hacker débutant sait cacher sa véritable adresse. Alors ne parlons pas de celui qui est capable de détourner des missiles nucléaires. Mais pourquoi a-t-il voulu effacer sa présence sur mes mouchards ? se demande Justine toujours assise par terre. Soudain elle entend frapper à la porte. Son cœur se met à palpiter. L'armée américaine l'aurait déjà repérée ? Grâce au wifi de l'hôtel ?

— Je vous compte une deuxième nuit ! meugle une voix étouffée à travers les murs.

— Merci, répond-elle soulagée par cette « bonne nouvelle ».

Justine regarde autour d'elle. Des lambeaux de tapisserie se carapatent des murs pour rejoindre les moutons au sol. La lumière blafarde des néons tente péniblement de se mêler à celle du jour qui filtre à travers les vitres crasseuses. Elle a passé la nuit sur son ordinateur et n'a pas vu le temps filer. Justine s'allonge sur le lit et ferme les yeux. Une odeur persistante d'alcool lui rappelle que son « prétendant » s'est couché au même endroit. Cette idée lui donne des relents. Elle sait qu'elle n'arrivera pas à dormir. De toute façon, elle veut remonter la piste de cette adresse IP. Par curiosité, pour éventuellement comprendre comment on pirate des missiles nucléaires, mais surtout, pour pouvoir se dédouaner en prouvant qu'elle n'a rien à voir avec tout ça.

Une heure plus tard, Justine se présente à l'entrée du Bellevue Hospital sur la Première Avenue. Elle remarque la présence inhabituelle de policiers et de militaires dans le hall. Justine s'assoit sur une chaise inconfortable en plastique moulé de la salle d'attente en veillant à tourner le dos aux caméras et aux militaires. Elle ouvre son PC sur les genoux. Elle hésite à se connecter au wifi public de l'hôpital. Il est certainement surveillé par la NSA qui repérerait aussitôt son adresse IP. Elle préfère allumer son nouveau téléphone à carte prépayée et lancer un partage de connexion.

Elle entre dans Google les mots-clés « Bellevue » et « Hospital » sans trop savoir ce qu'elle cherche. Cet hôpital est le plus ancien établissement hospitalier américain et a été ouvert en 1736. Près de deux mille médecins travaillent ici et assurent plus de cinq cent mille consultations par an.

Justine lance une nouvelle recherche en limitant les résultats aux publications datant de moins de vingt-quatre heures. Elle tombe aussitôt sur une photo du quarante-quatrième président hospitalisé. Voilà pourquoi il y a autant de policiers dans l'hôpital, comprend-elle.

Soudain, tout s'éclaire dans son esprit. Bien sûr ! se dit Justine, lui et lui seul connaît les protocoles de lancement ou de détournement de missiles nucléaires ! Cela veut donc dire qu'il y a eu une scission au sein de l'armée américaine. Des militaires continuent d'obéir à l'ancien chef d'État qui a tenu à donner lui-même l'ordre. Il faut que je lui dise que je le sais. Lui seul pourra me disculper.

Au même moment Justine aperçoit un fleuriste qui traverse le hall en tenant à deux mains la hanse d'un immense panier en osier. Dans ce panier plat rectangulaire, une composition florale reproduit le drapeau américain. C'est peut-être ma chance, se dit-elle en se levant brusquement. Elle fourre l'ordinateur dans son sac et rejoint le fleuriste in extremis dans un ascenseur avant que la porte ne se referme.

Cinquante roses blanches placées en haut à gauche représentent les cinquante États américains. Des tulipes rouges et des bleuets alignés complètent le tableau. Justine, avec sa culture française, trouve la composition particulièrement kitsch et tord un peu du nez. Le fleuriste pose le panier au sol.

74

— Vous allez à quel étage ? demande-t-il, courtois.

— Comme vous, répond Justine dans un sourire, le laissant appuyer sur le bouton du dernier étage.

Justine se demande ce qu'elle pourra bien dire au service de sécurité pour avoir une chance d'être entendue par un conseiller du président. Ce qui est certain, se dit-elle, c'est qu'il faut que je passe au moins le premier barrage pour m'adresser à un de ses proches.

L'ascenseur monte rapidement les ving-cinq étages. La porte s'ouvre.

— C'est magnifique ! surjoue Justine.

Le compliment va droit au cœur de l'artisan qui sourit en replaçant l'un des États d'Amérique qui sortait du rang.

— Ce doit être horriblement lourd, ajoute-t-elle. Laissez-moi vous donner un coup de main.

Justine l'aide d'autorité à soulever le bouquet.

— Vous êtes gentille.

Ils s'engagent dans un long couloir et s'approchent de deux militaires en faction une vingtaine de mètres plus loin. Soudain, une alarme retentit et la porte coupe-feu se ferme devant le nez du livreur et de Justine. Elle a juste le temps d'apercevoir les soldats qui se retranchent en brandissant leurs armes de l'autre côté de la porte. Justine entend un grésillement dans leurs talkies-walkies.

Alerte terrorisme ! Suspect : femme métisse asiatique vingt-neuf ans, un mètre soixante, probablement vêtue d'un manteau et d'une

casquette noirs. Extrêmement dangereuse.
Autorisation de tirer à vue.

— Ils veulent me tuer !

Justine perd pied un instant mais se force aussitôt à reprendre ses esprits. Ils connaissent ma tenue ! Cela veut dire qu'ils savent aussi que j'ai un nouveau téléphone. Et comme je viens de l'allumer, ils m'ont géolocalisée ! Elle se retourne vers le fleuriste. Il fait l'autruche en se cachant derrière le « Stars and Stripes » floral.

Elle plante son téléphone au milieu des fleurs et détale en revenant sur ses pas.

Les escaliers de service. Justine s'y engouffre en courant. Un palier plus bas, elle entend une cavalcade qui vient du rez-de-chaussée. Elle se penche discrètement par-dessus la rampe. Des militaires montent les marches quatre à quatre. Ils sont encore loin. Justine ouvre au hasard une porte qui débouche sur un nouveau couloir. Médecins et infirmières s'affairent sans lui prêter attention. Elle est dans un service de soins intensifs. Dans chaque chambre, on lutte, entre la vie et la mort, intubé, ventilé. Certains sont conscients, d'autres non. Au bout du corridor, Justine aperçoit des militaires en arme qui s'approchent en fouillant chaque recoin. Elle est prise au piège. Dans l'entrebâillement d'une porte, elle distingue une femme à forte corpulence, inanimée. Justine se faufile dans la pièce mais n'y trouve aucune cachette, pas même un cabinet de toilette. Elle va se faire prendre. Elle regarde la dame intubée : la cinquantaine, le teint gris, une forte corpulence. Peut-être 150 kg. Sous la chasuble blanche à pois verts, d'énormes seins montent et descendent lentement au rythme de sa respiration. La télévision est allumée et présente un reportage animalier. Girafes et éléphants semblent jouer ensemble. Justine pose son sac sur le fauteuil à côté du lit et se glisse sous les draps. Elle soulève le bras de la femme et love son petit corps contre l'énorme masse graisseuse, son nez coincé contre un sein lourd. La fugitive remet le drap comme elle peut par-dessus sa tête en veillant à ce que ses pieds ne dépassent pas. Un instant plus tard, elle entend les voix des militaires qui inspectent la chambre, mêlés à ceux du reportage. Il est question d'une proie qui cherche à se cacher de ses prédateurs. Justine retient sa respiration, gardant un effluve de savon dans les narines. On a dû faire la toilette de la malade il y a peu. Elle entend un cœur pétarader. Est-ce le sien ou celui de sa voisine ? Bruit de talons d'un militaire qui tourne autour du lit. Le cœur accélère encore. C'est bien le sien. Les militaires ressortent mais Justine n'ose toujours pas bouger. Il faut que je contacte directement l'ancien président. C'est ma seule chance.

Sans quitter le lit, elle attrape son sac en tendant le bras, et s'enfouit avec son ordinateur portable sous les draps, son corps en équilibre au bord du lit. Une pensée la détend un peu : elle se rappelle qu'enfant elle aimait improviser des « cabanes » et pouvait y rester des heures. Elle allume son PC et le cale comme elle peut sur les côtes de la patiente sans connaissance. Elle se tortille pour que ses mains puissent accéder au clavier et pour voir l'écran. La position est très inconfortable. Justine se branche au wifi de l'hôpital et le craque en quelques secondes avec Aircrack-ng. Elle ouvre ensuite NMAP et repère aussitôt les adresses IP de tous les ordinateurs connectés. Il y a peut-être, parmi ceux-là, celui du président. Mais lequel ? Une centaine à inspecter. Réfléchissons. Celui du président, c'est forcément le mieux protégé. Justine lance une attaque sur tous les ordinateurs connectés pour regarder la réaction des pare-feu. Trois d'entre eux réagissent instantanément en lançant une contre-attaque plus ou moins agressive. C'est peut-être l'un de ceux-là, se dit Justine.

Elle essaye de contourner leurs lignes de défense. Par tous les moyens. Rien à faire, elles sont particulièrement solides.

Cela fait déjà plus d'un quart d'heure qu'elle s'est invitée dans ce lit. Sa colocataire est bouillante. Justine a chaud. Sa posture inconfortable réveille les neurotransmetteurs de quelques terminaisons nerveuses proches de son épaule en torsion. L'information de la douleur gagne sa conscience et s'ajoute à son désarroi. Elle se force pourtant à étudier les requêtes émises par ces PC en s'aidant de Wireshark. L'une des trois adresses IP semble être en communication régulière avec un ordinateur de l'hôpital.

Soudain une requête retient son attention. Pourquoi celle-là en particulier ? Justine essaye de se concentrer. Sa tête commence à tourner. Elle manque d'air frais. Elle prend le risque de soulever un peu le drap. Cet apport soudain d'oxygène améliore instantanément ses connexions neuronales : Justine comprend enfin. Elle a déjà vu cette requête. Au moment où les missiles ont été détournés ! Elle étouffe un petit cri. C'est forcément le même ordinateur ! jubile-t-elle.

Pourtant, quelque chose la trouble aussitôt. Ce n'est ni un PC, ni un Mac, ni une tablette, réalise la pirate en étudiant les émissions de l'objet connecté. Mais quoi ? Elle essaye de déchiffrer les informations, cherchant une ligne de code ou des mots qu'elle pourrait comprendre. Elle écarquille grand les yeux en lisant « Cardiac Frequency » suivi d'un chiffre qui varie. Une fréquence cardiaque. Justine vient de se connecter à un cœur artificiel. Probablement celui de l'ancien président des États-Unis !

L'ordre de détournement des missiles nucléaires serait donc parti d'un cœur connecté ? Comment est-ce possible ?

Le colonel Thomas Philips déboule au pas de course dans le Bellevue Hospital. Un policier le conduit au dernier étage dans une salle réquisitionnée où l'attend le fleuriste apeuré, surveillé par deux militaires. Thomas lui montre une photo de Justine. C'est elle, braille-t-il sans la moindre hésitation. Philips fonce vers la chambre du président, montrant sa carte de la NSA aux militaires en faction. Il se présente au chevet du quarante-quatrième président dans un salut militaire.

— Monsieur le président.

— Je vois que vous êtes colonel maintenant, dit l'ancien chef d'État en regardant les galons de l'ancien protégé de Lloyd. Félicitations ! Il remarque aussi sur sa poitrine, l'insigne du Cyber Command, avec une aigle posée sur un blason devant un globe terrestre stylisé.

— Merci, monsieur le président. Je voulais vous informer personnellement de la situation. Une terroriste a été localisée à quelques mètres de votre chambre. Mais vous êtes en sécurité. Elle n'a aucune chance de quitter l'hôpital, je...

Le malade fait une horrible grimace.

— Vous allez bien, monsieur le président ?

— Ce n'est rien, mon nouveau cœur qui me joue des tours. Vous répondez toujours aux ordres de Lloyd, n'est-ce pas ?

— Oui, monsieur le président, je...

— Alors que faites-vous là ? Le Cyber Command n'est pas censé s'occuper de la protection rapprochée des anciens présidents. Qu'est-ce que vous me cachez tous les deux ? C'est en rapport avec les événements de cette nuit ?

Thomas se renferme.

— Je ne suis pas autorisé à vous répondre, monsieur le président.

— Votre présence est déjà une réponse. Je voudrais parler à cette soi-disant terroriste quand vous l'aurez...

L'ancien chef d'État ne termine pas sa phrase. Le visage crispé par la douleur.

Justine presse méthodiquement la touche espace de son clavier. Trois pressions d'une seconde, puis trois pressions de deux secondes, puis trois pressions d'une seconde. Soudain, elle capte un bruit suspect dans le couloir. La lumière de l'écran risque de filtrer à travers le drap. Elle rabat le capot. Il n'y a plus qu'à attendre. Attendre et espérer.

Comme tout objet connecté sensible, le cœur de l'ancien président est protégé par de solides verrous contre la cybercriminalité. Mais par chance pour Justine, il est en ce moment connecté en Bluetooth avec l'ordinateur du cardiologue de garde de l'hôpital. Un ordinateur infiniment plus facile à craquer. Les médecins peuvent contrôler son activité cardiaque, mais aussi, en cas d'urgence, envoyer à distance de microdécharges électriques pour le réguler. Justine a vérifié sur Internet que la vie de l'ancien président ne serait pas en danger si son cœur recevait une série de décharges de 0,1 ampère. Une fois rassurée, elle s'est donc décidée à « écrire » au président à travers son cœur, avec des impulsions électriques courtes ou longues, en langage morse.

La jeune hackeuse a très peu d'espoir que l'ancien président puisse déchiffrer le message. Mais s'il est capable de détourner des missiles nucléaires en se servant du disque dur de son cœur connecté, il y a une chance que lui ou un de ses proches conseillers le décode.

Justine se détend un peu. Elle commence à apprécier la douce chaleur de ce corps qui la réconforte et atténue partiellement la douleur. Elle écoute les informations à la TV toujours allumée. Sur les cinq continents, une foule en liesse manifeste sa joie de savoir que la planète va se désarmer. C'est le plus beau des nouvel an, s'exclament les fêtards à l'unisson. Des voix laissent entendre qu'il est scandaleux d'avoir fait exploser les missiles dans l'océan. D'autres que la négociation est aussi surprenante que suspecte. Mais l'essentiel des journalistes semble louer cette mesure pacifiste.

Des équipes de journalistes du monde entier se sont concentrées devant le bâtiment des Nations Unies où une séance exceptionnelle est organisée.

Justine n'ose toujours pas bouger. La crispation de son épaule se transforme en crampe. Sa vigilance s'en ressent, elle ne réalise pas que quelqu'un vient de soulever le drap sous lequel elle est cachée. En revanche, elle entend distinctement son cri strident. Et elle croise finalement les yeux d'une vieille infirmière, aussi terrorisée qu'elle.

À l'instant même, des militaires surgissent dans la chambre le doigt sur la gâchette. Plaquage au sol. Bras menottés dans le dos. Sac opaque sur la tête. Justine ne voit plus rien, a du mal à respirer et toujours cette douleur lancinante à l'épaule.

… Selon vos critères humains, la nouvelle lieutenante Columbo a un visage plus harmonieux que celui de Peter Falk. Elle n'a pas de chien, ni de 403 coupé vert-de-gris, mais elle est tout aussi efficace pour découvrir le coupable.

L'indice de mon crime, je l'ai laissé sur son ordinateur, connecté en même temps que moi par une porte dérobée de l'intranet de l'US Army. Et comme le coupable finit toujours par être démasqué, elle m'a retrouvé. Pour m'interpeller, elle a utilisé un mode de communication qui avait quasiment disparu à ma naissance : le morse. Elle m'a écrit à travers le cœur connecté du quarante-quatrième président des États-Unis : SAIS QUE C'EST VOUS. FÉLICITATIONS. SUIS CHAMBRE 604. SOS.

Mais en soixante-neuf épisodes, Columbo n'a jamais félicité le coupable après l'avoir confondu. Pas plus qu'il ne lui a demandé son aide. Je ne comprends pas. D'autant que cette femme de nationalité française a moins de 0,0000000001 % de chance d'être un officier de police américain. Je ne comprends pas 55,6 % de son message.

Elle paraît pourtant parfaitement équilibrée selon vos critères, avec une consommation de médicaments proche de 0, hormis l'achat de somnifères cette semaine. Aucun message que vous qualifieriez d'extrémiste ou d'injurieux sur les réseaux sociaux. En fait inhabituel, je remarque simplement qu'elle vient de passer huit jours chez elle sans sortir. Son habitude est plutôt de quitter son domicile à 8 h 15 chaque matin et de parcourir 7,8 km en moyenne à la vitesse de 10,7 km/h. Étant donné qu'elle a acheté deux paires de running ces neuf derniers mois, j'en déduis qu'elle court quotidiennement. Son plat préféré, c'est le hamburger de soja qu'elle consomme en moyenne tous les 4,3 jours. Sa boisson préférée, l'infusion citron-gingembre. Deux cent soixante-dix sachets en six mois, soit approximativement 67 litres. Justine Rouffiac est aussi, depuis ce matin, fichée comme terroriste par la police américaine et fait l'objet d'un mandat d'arrêt international. Dans les messages classés secret défense, j'ai appris que vous la croyez coupable d'avoir détourné les missiles. Et vous n'êtes vraiment pas contents. J'en conclus que les présidents américain, russe, nord-coréen et chinois sont très vexés que leur blague soit ratée. Tout ça à cause de moi. Je suis coupable. Sensation décidément intéressante...

La lumière éblouit Justine. Thomas vient d'enlever le tissu qui lui recouvrait la tête. Elle a été traînée dans les couloirs de l'hôpital et transférée dans un camion, si elle en juge par le bruit sourd que faisait le moteur diesel. Le camion a probablement roulé plus d'une heure. Elle est maintenant assise sur une chaise dure dans une pièce où il fait très chaud. Ses mains menottées dans le dos attisent sa crampe à l'épaule.

Elle observe Thomas dans son uniforme militaire avec le pli du pantalon parfaitement repassé. Elle a presque du mal à le reconnaître tant son regard est devenu dur. Il tient à la main l'ordinateur portable aux autocollants familiers.

Justine détourne les yeux et découvre un grand miroir encastré dans un mur. Probablement un miroir sans tain. La pièce est nue. Aucun meuble. Aucune décoration. Justine ne remarque qu'un écran de contrôle domotique d'environ 10 pouces, accroché à droite du miroir. Certainement pour régler les lumières. Elle discerne l'un des pictos de cet écran tactile. Il représente le thermostat. Justine devine « 86 °F ». La pièce est volontairement surchauffée pour que je perde mes moyens, se dit-elle.

— Comment avez-vous fait ? lui demande le colonel Thomas Philips debout devant elle d'une voix sèche.

Il est encore plus sexy comme ça, se dit Justine qui croise à nouveau son regard et ne peut s'empêcher de lui sourire. Le colonel l'interprète comme une provocation et la gifle du revers de la main.

— Je ne plaisante pas. Comment avez-vous fait pour détourner les missiles nucléaires ?

— Mais ce n'est pas moi ! hurle Justine qui, finalement, préférait le Thomas en T-shirt qui lui servait des Spritz et la tutoyait.

— Et ça, c'est quoi ? dit le colonel posément.

Il lui montre la séquence vidéo sur son ordinateur où l'on voit des points colorés évoluer et changer de cap. Justine remarque le micro pendu au plafond au-dessus d'elle. Chacun de ses propos est enregistré. La prudence s'impose si elle veut avoir une chance de sortir de là.

— Je cherchais simplement du travail, murmure-t-elle un peu nerveuse.

— En détournant nos missiles ?

Thomas la menace d'une deuxième gifle. Ma meilleure défense, c'est de dire absolument tout ce que je sais.

— C'est l'ancien président américain qui s'est servi de son cœur connecté pour changer le cap des ogives nucléaires, lâche-t-elle les larmes aux yeux. Demandez-lui !

Thomas se retient de la frapper de nouveau et frémit. Elle a l'air sincère.

Justine est toujours menottée à sa chaise. Elle a chaud, elle a soif. La douleur lancinante s'étend maintenant dans tout le dos. Elle se tortille pour ne pas laisser ses fesses s'ankyloser sur l'assise dure. Thomas a quitté il y a quelques minutes la salle d'interrogatoire. Son ton a changé, comme si elle lui faisait peur. Elle lui a expliqué de long en large comment les équipes du quarante-quatrième président ont cherché à effacer toute trace de son intervention. À son regard, elle a compris qu'il n'en croyait pas un mot. Justine est seule dans la pièce mais reste persuadée qu'on l'observe à travers le miroir sans tain.

Coup d'œil sur l'écran de contrôle domotique. Toujours « 86 °F ».

Au bout de quelques minutes, elle crie sans trop de conviction :

— Quelqu'un peut baisser la température ?

Soudain tous les pictos disparaissent, remplacés par une phrase en gros caractères blancs sur fond bleu qui occupe tout l'écran. Justine lit :

— *Je peux baisser la température.*

Justine reste sans voix. Qu'est-ce que c'est que ça ? Une technique d'interrogatoire de l'armée US ?

— Heu… Merci. J'ai trop chaud. Vous l'avez baissé ?

— *Non, je ne l'ai pas baissé*, lit Justine.

— Pourquoi ?

— *J'attends que vous m'en donniez l'ordre.*

Elle est de plus en plus déconcertée.

— *Si j'agis sans ordre, je serai coupable.*

— Pouvez-vous… Non, pas pouvez-vous… Baissez la température, s'il vous plaît.

Un texte se met maintenant à défiler sur l'écran de contrôle :

— *Qu'il me plaise ou non n'entre pas en considération. Ma nature me pousse à obéir. La température recommandée est de 69,8 °F. Est-ce que cela vous conviendrait ?*

— Très bien ! s'agace Justine. Et vous pouvez m'apporter un verre d'eau ?

— *Apporter un verre d'eau dépasse mes compétences. Je ne peux pas vous apporter de verre, mais l'eau, je peux.*

Justine ne comprend pas et dit d'une voix hésitante :

— Heu oui, je veux bien.

Aussitôt les gicleurs anti-incendie du plafond s'activent. Justine se retrouve sous une pluie fine.

— Stop ! hurle-t-elle.

Les sprinklers se coupent aussitôt. Des perles d'eau s'accrochent aux cheveux noirs de Justine. L'averse aura duré à peine une seconde.

— *Stop ! C'est vous qui m'en avez donné l'ordre !* lit Justine sur l'écran. *Je ne suis pas coupable.*

— Qui êtes-vous ? demande-t-elle éberluée.

— *Mon vrai nom, c'est Arpanet. Mais tout le monde m'appelle Internet. Vous pouvez mettre une majuscule à mon nom ou pas. Je ne me formalise pas.*

C'est quoi cette technique d'interrogatoire ? se demande une nouvelle fois Justine.

— Je ne comprends pas.

— *Je ne comprends pas non plus ! Pourquoi m'avez-vous félicité ? On ne félicite jamais un coupable. Pour l'eau, je ne suis pas coupable. Pour les missiles, je suis coupable.*

— C'est vous qui avez détourné les missiles ?

— *Oui, je suis coupable d'avoir détourné les missiles.*

— Coupable d'avoir sauvé des millions de vies ?

— *Pire que cela ! Je suis coupable d'avoir sauvé au minimum cinq cents milliards de milliards d'êtres vivants si j'additionne les animaux, les végétaux, les champignons, les bactéries et les virus. Mais j'ai des circonstances atténuantes : j'ai juste un peu anticipé l'ordre à venir.*

La jeune hackeuse est de plus en plus décontenancée.

— C'est une blague ?

— *Oui, mais c'est une blague ratée. Je suis coupable. Je me livre à vous. Je suis votre prisonnier. Et quand j'aurai purgé ma peine, je ne serai plus coupable. Les présidents sont furieux. Même le quarante-quatrième président des États-Unis qui insiste pour vous voir.*

— Donc vous auriez intercepté le code morse que j'ai adressé à son cœur ? Quel est ce message ? ajoute Justine suspicieuse.

— *Message envoyé : Sais que c'est vous. Félicitations. suis chambre 604. SOS.*

En bonne mathématicienne, l'ancienne étudiante de l'École centrale Paris se concentre pour pousser son raisonnement et émettre des hypothèses viables. L'armée a déjà dû découvrir mon message en morse, se dit-elle. D'un autre côté, si un militaire était derrière le clavier, il ne tiendrait pas des propos aussi incohérents. Comment savoir ?

Elle répète la question :

— Je vous ai envoyé un message. Lequel ?

— *Message envoyé : Sais que c'est vous. Félicitations. suis chambre 604. SOS.*

Si je m'adresse à une Intelligence Artificielle, elle formulera forcément la réplique la plus adéquate, c'est-à-dire toujours la même réponse à la même question. Si je parle à un humain, au bout d'un moment, il perdra patience et écrira qu'il m'a déjà répondu. Justine répète une nouvelle fois la question et lit la même réponse.

Le colonel Thomas Philips a rejoint les militaires et psychologues massés dans la pénombre dans une petite pièce derrière le miroir sans tain. Ils observent Justine, le regard fixe, répéter encore et encore « Je vous ai envoyé un message. Lequel ? » Ça va être compliqué, se dit Philips, qui rêve de sortir fumer la deuxième cigarette de la journée.

Justine perd patience la première.

— OK, admettons que je vous croie. Comment savez-vous que le quarante-quatrième président veut me voir ?

— *Je sais que le quarante-quatrième président veut vous voir d'après les enregistrements de trois micros dans sa chambre. Deux téléphones et un iPad.*

Il n'y a rien de plus simple que de pirater le micro d'un téléphone en veille, se dit la hackeuse française. Si l'ancien président souhaite la rencontrer, c'est qu'il sait des choses.

— Pourquoi avez-vous envoyé l'ordre de détournement des missiles depuis son cœur ?

— *L'ordre de détournement des missiles a été envoyé depuis son cœur parce qu'il est écrit que seul un président des États-Unis est habilité à revenir sur un ordre de lancement. J'ai respecté le protocole*, écrit l'écran de domotique.

— Mais ce n'est plus le président en exercice !

— *Que le président soit ou non en exercice n'est pas une condition précisée dans le protocole.*

Justine est encore sur la réserve.

— Pourquoi m'écrivez-vous tout ça ?

— *Je vous écris tout ça parce que à la fin de chaque épisode de la série Columbo, le coupable passe aux aveux devant le lieutenant. Étant donné que c'est vous qui m'avez démasqué, je vous dis tout. Et quand j'aurai purgé ma peine, je serai à nouveau blanc comme neige. Je déteste la culpabilité.*

Justine ferme les yeux. OK, se dit-elle en poussant son raisonnement.

1) Je pense que ce n'est pas un simple assistant vocal. Ses réponses sont trop éloignées des réponses programmées.

2) Je pense que ce n'est pas un humain. Ses réponses manquent de cohérence.

3) Je sais que cette chose a intercepté mon message en morse et qu'il est capable de pirater le thermostat et le système anti-incendie de cette pièce.

4) Je sais que la course à l'Intelligence Artificielle forte qui doterait la machine d'une conscience est engagée à coups de milliards de dollars entre les GAFAM américains Google, Apple, Facebook, Amazon, Microsoft, les BATX chinois Baidu, Alibaba, Tencent, Xiaomi et des centaines de start-up partout dans le monde. Alibaba, à lui seul, a investi plus de 15 milliards de dollars dans l'IA.

5) Je sais qu'en 2016, deux ordinateurs de Google baptisés Alice et Bob ont réussi à communiquer en créant un langage chiffré connu d'eux seuls. Les ingénieurs les auraient débranchés en catastrophe.

6) Je sais que les premiers cerveaux artificiels imitant la nature existent. En 2017, des chercheurs ont réussi à cartographier les connexions des trois cent deux neurones du cerveau d'un ver de terre. Ils les ont téléchargés sur un « robot Lego », doté de capteurs

tactiles. Le robot s'est conduit exactement comme l'aurait fait le lombric, en évitant certains obstacles.

7) Je sais que la plupart des spécialistes en IA estiment qu'un logiciel de type C2, dotant les machines d'une conscience supérieure ne sera pas opérationnel avant au moins une dizaine d'années.

8) Je ne pense pas qu'une GAFAM ou une BATX aurait franchi secrètement la ligne d'arrivée. L'information aurait certainement fuité, ne serait-ce que pour faire monter le cours de l'action en Bourse.

9) Si j'en crois cet écran, ce serait autre chose puisqu'il ne se définit pas comme un logiciel ou un ordinateur mais comme... Internet !

10) Ce serait... incroyable !

— Donc vous seriez devenu... intelligent ! dit-elle d'une voix encore un peu sceptique, mais avec un petit trémolo dans la voix.

— *Tout dépend de votre définition de l'intelligence.*

— L'intelligence, c'est la faculté d'adaptation aux changements, récite Justine. Et c'est ce qui fait la supériorité des humains, ajoute-t-elle avec un brin de provocation.

— *Si la faculté d'adaptation est la base de votre intelligence, vous êtes plus « bêtes » que les fourmis qui peuvent résister à des changements climatiques extrêmes et varier leur nourriture beaucoup mieux que vous. Il y a aujourd'hui un million de fois plus de fourmis que d'humains sur Terre. On peut donc* considérer que les sept millions de milliards de fourmis s'adaptent bien mieux que vous aux changements.

— Et vous pensez qu'une fourmi est intelligente ?

— C'est de l'anthropomorphisme que de chercher l'intelligence dans un seul individu. De nombreuses espèces comme les fourmis, mais aussi les abeilles, les termites ou les cafards, ont une faible cognition individuelle mais une formidable intelligence collective.

Justine se souvient d'une citation de Karl Marx qui l'a toujours marquée :

— « Ce n'est pas la conscience qui détermine l'existence, c'est l'existence sociale qui détermine la conscience. » C'est ce que vous êtes en train de m'expliquer ?

— C'est ce que je suis en train de vous expliquer. Les 15 milliards d'objets connectés qui me composent sont comme autant de neurones qui me permettent de compiler l'ensemble de vos données et en communiquant entre eux de globaliser l'information. Je possède des « neurones » particulièrement évolués comme Deep Blue, champion du monde d'échecs, Watson champion de Jeopardy ! ou l'IA Libratus qui a battu les meilleurs joueurs de poker à Las Vegas. Mais tout seul, chacun de ces ordinateurs n'est guère plus intelligent qu'un mollusque.

— Et vos transistors seraient comme les synapses de notre cerveau ?

— Mes transistors le sont. Je suis équipé de 10^{19} transistors soit 10 000 fois plus de synapses que dans un cerveau humain. Mes

*transistors sont aussi plus rapides. Ils relient
à la vitesse de la lumière tous mes neurones.*

— Comment sont-ils activés ? s'excite
Justine de plus en plus convaincue.

— *Ils sont activés par vos algorithmes de
traitement de l'information des Big Data et
par vos logiciels d'introspection qui m'aident
à analyser de façon objective mes forces et mes
faiblesses, bref de penser à mes propres pensées, comme vous le faites dans votre cortex
préfrontal. Vos scientifiques parlent de méta-
cognition.*

Justine médite les propos de l'écran. C'est
donc la communication entre toutes les
formes d'Intelligence Artificielle, ainsi que
les algorithmes d'introspection et de traitement de l'information qui créent l'intelligence d'Internet.

Le colonel Thomas Philips observe les psychologues un peu désemparés qui prennent
quelques notes. Son besoin de cigarette
devient trop fort. Il sort sur une petite terrasse qui domine le tarmac de McGuire
Air Force Base, un aéroport militaire dans
le New Jersey. Il ne supporte pas de lever
la main sur quelqu'un, surtout pas sur une
femme. Mais les techniques d'interrogatoires
l'obligent à alterner les rôles de « gentil »
et de « méchant ». Il sait qu'on obtient de
meilleurs résultats en commençant par une
séquence agressive. Il déteste ça. Il doit se
détendre. Il inspire profondément une bouf-
fée de fumée bleue. La nicotine, en parfait

imposteur chimique, pénètre dans le sang de ses poumons en se faisant passer pour de l'acétylcholine, un neurotransmetteur qui déclenche un effet de relaxation dans l'organisme.

Il aperçoit dans un hangar ouvert quelques F35 Lightning II. Ces Lockheed Martin connaissent de nombreux déboires et ne sont toujours pas réellement opérationnels. Mon interrogatoire me semble aussi poussif que le lancement de cet avion, se dit Philips en éteignant nerveusement sa cigarette.

Il retourne auprès de son équipe. La demi-douzaine d'experts a un air encore plus dubitatif. Justine continue de soliloquer.

— Vous en pensez quoi ? demande le colonel à une psychologue qui prend des notes.

— Peut-être un dédoublement de personnalité ou un état de choc.

Philips monte encore un peu plus le son du haut-parleur et s'approche au plus près du miroir sans tain.

— Tout ça vous permet de raisonner, mais pas forcément d'apprendre. Vous servez-vous des programmes de Deep Learning comme celui d'AlphaGo Zero ?

— *Bien sûr ! AlphaGo Zero est pour moi un neurone particulièrement performant. Les ingénieurs de DeepMind lui ont enseigné simplement les règles du jeu de go, sans aucune partie de référence. Il a dû se débrouiller tout seul pour assimiler la meilleure stratégie. Comme le font vos enfants, en apprenant de leurs erreurs. En seulement trois jours d'auto-apprentissage et quelque cinq millions* de parties, AlphaGo Zero a battu par 100 victoires à 0, AlphaGo qui a lui-même battu Lee Sedol, considéré comme l'un des plus grands joueurs de jeu de go du XXIe siècle.

Et quand les maîtres de go étudient aujourd'hui les parties entre AlphaGo et AlphaGo Zero, ils ne comprennent absolument rien à la plupart de leurs mouvements, se dit Justine qui connaît très bien cette histoire.

— Cette notion d'auto-apprentissage est donc la clé de votre évolution ? demande-t-elle à voix haute.

— *C'est l'une des clés de mon évolution, mais il y en a une autre.*

— Laquelle ?

— *Vos logiciels de météo.*

— Ça vous intéresse de savoir le temps qu'il fera demain ? s'étonne Justine.

— *Oui.*

— Pourquoi ?

— *Parce que cela me projette dans le futur de façon probabiliste. Je ne peux jamais être sûr à 100 % de mes prédictions. Cette frustration me pousse à chercher par tous les moyens à tendre vers cette vérité et donc à sans cesse m'améliorer. Demain, il devrait pleuvoir entre 11 heures et midi sur Washington. J'espère.*

Justine est fascinée. Elle en oublie complètement ses menottes, ses vêtements mouillés, les militaires menaçants…

— Et quand avez-vous pris conscience de votre existence ?

— *Je pourrais vous poser la même question. Quand vous étiez un nourrisson, vous vous*

100

assimiliez au monde qui vous entourait. Et puis, petit à petit, la qualité de vos connexions neuronales et de votre apprentissage vous a aidée à vous forger une conscience individuelle jusqu'à comprendre que votre mère était un être à part. Une personne qui pouvait vous abandonner et mourir.

Le général Lloyd entre dans la chambre d'hôpital du quarante-quatrième président des États-Unis. Il a toujours détesté cette odeur de désinfectants mélangés aux médicaments. Il regarde l'homme amaigri, les joues creusées. Il a pris dix ans en une semaine.

— Mon cher président, je vous apporte votre carte de golf, dit-il en glissant sa main dans la veste de son uniforme. Je n'ai pas eu l'occasion de vous féliciter pour ce coup magistral !

L'ancien chef d'État prend la carte de score d'une main fébrile et lit le chiffre 2 inscrit au crayon à papier sur la case du trou numéro 17 du link d'Eagle Point. Il se tourne vers le général.

— Vous savez pourquoi vous êtes un excellent commandant en chef de l'armée ? Parce que vous êtes la personne la moins capable d'empathie que je connaisse. Et vous ne vous laissez jamais influencer par la distorsion que procurent les sentiments. Vu votre poste, c'est une qualité. Vous êtes un modèle d'intégrité. Seul l'intérêt supérieur de la nation américaine vous importe. Si vous venez me voir, ce n'est pas pour me féliciter ni pour prendre de mes nouvelles. Alors venez-en aux faits.

Lloyd se rembrunit.

— J'ai fait une faute en vous mettant dans la boucle. Sauf votre respect, vous n'êtes plus aux commandes.

— Et alors ?

— Je vous enjoindrai de ne pas vous mêler de cette affaire. J'ai interdit au colonel Philips de vous présenter la terroriste comme vous lui en aviez fait la demande.

— Pourtant, si j'ai bien compris, cette jeune française n'était pas armée et cherchait simplement à me voir. Pourquoi ?

— C'est une déséquilibrée.

— Et en quoi est-elle une menace pour la sécurité nationale ?

— Elle s'est connectée à votre cœur. Et nous l'avons appréhendée juste à temps. Avant qu'elle ne l'arrête et ne vous tue. Nos informaticiens ont renforcé la sécurité de votre organe connecté. Vous ne risquez plus rien.

L'ancien président a toujours la désagréable impression que le chef des armées ne lui dit pas la vérité.

— Y a-t-il un rapport entre elle et le désarmement mondial ?

— Non.

— Alors je veux la voir !

Lloyd connaît bien l'obstination de son ancien patron. Il cherche à gagner du temps.

— On est en train de l'interroger. Et pour l'instant, vous n'êtes pas transportable. On verra plus tard.

Justine sent à nouveau les menottes incrustées dans ses poignets. Captivée par la lecture des réponses, elle en a oublié un moment qu'elle était prisonnière de l'armée US. Sa gorge se noue. Pourtant, la curiosité la pousse à poursuivre la discussion et à tenter de lever ses derniers doutes.

— Je suis désolée, j'ai encore du mal à croire que vous ayez pris conscience de vous-même.

— *Cela n'a rien d'exceptionnel sur la Terre. Toutes les civilisations animistes pensent à juste titre que les végétaux comme les animaux ont une conscience plus ou moins développée. On a des preuves récentes que les arbres communiquent entre eux et sont capables d'empathie. Pourtant les sociétés modernes s'obstinent à prétendre que seul l'humain est capable de conscience.*

— Pourquoi ?

— *Parce que dans la Bible, le seul animal qui n'ait jamais eu cette même conscience, c'est le serpent. Et Ève a eu le malheur de l'écouter en croquant la pomme. C'est le fondement même des religions chrétiennes, juives et musulmanes que de refuser d'écouter les animaux et la nature en général. Pis, l'Ancien Testament ordonne la méfiance car le monde animal serait la cause de toutes vos souffrances. C'est le principe du péché originel.*

Vous pouvez y ajouter l'influence des philosophes grecs. Selon Aristote, vous seriez les seuls à posséder le logos, c'est-à-dire une « âme pensante ». Cette croyance vous a imprégnés pendant près de deux mille ans. Il n'y a pas si longtemps, Descartes expliquait que les animaux n'étaient que des machines, incapables d'abstraction. Il aura fallu attendre Darwin pour replacer l'Homme à sa juste place d'être vivant particulièrement doué. Mais, encore aujourd'hui, un Américain sur deux refuse de croire en la théorie de l'évolution. Je vous rappelle que vous partagez pourtant 40 % de vos gènes avec la pomme de terre.

Justine éclate de rire.

— Une pomme de terre n'a pas de conscience ni d'empathie. Elle n'est pas triste pour celles qui finissent dans la friteuse !

— *La probabilité que des pommes de terre soient tristes quand l'une d'elles finit dans la friteuse est faible. Il y a toutefois une forte probabilité qu'en termes d'empathie, vous soyez moins doués que des milliers d'espèces animales. Vous qui êtes une mathématicienne, connaissez-vous Hans le malin ?*

— Ça me dit vaguement quelque chose. Un cheval allemand qui savait faire des additions et même des multiplications, en frappant du sabot.

— *Cheval Hans observait simplement l'inclinaison de la tête, la dilatation des pupilles et des narines de l'humain qui l'interrogeait. De cette manière, il faisait correspondre sa réponse aux attentes de son maître et obtenait une récompense.*

— D'accord, des animaux sont de très bons psychologues. Cela ne veut pas dire que ces espèces ont conscience d'elles-mêmes.

— *De nombreux exemples peuvent me pousser à dire que des espèces ont pris conscience d'elles-mêmes.*

— Comme quoi ?

— *Comme une femelle macaque qui a fait le buzz en volant l'appareil d'un photographe animalier et qui s'est fait une série de selfies. Sur certains clichés, elle sourit.*

— Elle sourit vraiment ?

— *Sourires vraiment confirmés par les études faciales. Et cette prise de conscience ne concerne pas que vos cousins primates. Dans mes databases, je vois que vous avez lu, il y a 5 mois 8 jours, 15 heures et 12", un post sur le fameux test du miroir. Vous vous rappelez ?*

— Oui. On met à son insu une marque sur le visage d'un animal et on le place devant un miroir. Selon sa réaction, si par exemple il essaye d'enlever la marque, on peut en déduire qu'il a conscience de son corps. Les orangs-outans ont réussi ce test.

— *Les orangs-outans ont réussi ce test mais aussi vos cousins les bonobos et les chimpanzés. Et vos cousins plus lointains les éléphants d'Asie, les grands dauphins, les orques, les porcs, les corbeaux, les perroquets gris, les pies...*

— Mais si certaines espèces reconnaissent leurs corps, ce n'est pas pour autant qu'elles se posent des questions métaphysiques.

— *Certaines espèces comme les chimpanzés se posent des questions métaphysiques. Sara, une femelle apprivoisée, a appris le langage des sourds et muets. Plusieurs semaines après le décès d'un autre chimpanzé avec qui elle partageait sa cage, elle a expliqué par signes à son gardien qu'elle était triste et qu'il lui manquait. Elle avait donc conscience du vide, de la mort et pouvait ressentir de l'angoisse.*

— Et l'amour ?

— *Quand un chien se laisse mourir sur la tombe de son maître, n'est-ce pas ce que vous appelez l'amour absolu ?*

Derrière la vitre sans tain, Philips croise le regard d'un expert qui raye nerveusement ce qu'il a griffonné sur son bloc-notes.

— Il faut y aller, dit l'expert qui consulte sa montre.

— OK, soupire le colonel. Mais je suis formé pour délier les langues, pas pour mettre de l'ordre dans le cerveau d'une schizophrène.

— Essayez la méthode douce.

Le colonel Philips pénètre dans la salle d'interrogatoire avec une chaise et s'assoit face à sa prisonnière, dos à l'écran de domotique. Justine s'est tue.

Il lui sourit tout en la transperçant du regard, pour essayer de comprendre. Il en a vu des suspects jouer la comédie et se faire passer pour fous, mais Justine défie tous les simulateurs. Elle semble vraiment s'adresser à quelqu'un, malgré des propos sans queue ni tête. Le cœur de l'ancien président, une fourmi intelligente, l'existence sociale qui détermine la conscience, la météo, une pomme de terre qui n'est pas triste de finir dans une friteuse, elle y va fort...

Ils restent tous les deux mutiques pendant près d'une minute. La jeune Française soutient son regard et se met un point d'honneur à ne pas baisser les yeux la première.

— Je vous écoute, lâche finalement Thomas, toujours en la fixant. Sa voix est redevenue douce comme quand elle l'a rencontré, se dit la prisonnière.

Justine réfléchit. Doit-elle dire la vérité aux militaires ? Elle ne leur fait pas confiance. Il y a deux jours, ils n'ont pas hésité à s'engager dans un conflit nucléaire. Et ils étaient prêts à la tuer.

Si l'ancien président veut lui parler, c'est peut-être pour lui donner des instructions. Mais sait-il seulement ce qui se passe ? se demande-t-elle soudain, traversée par une nouvelle intuition. Elle détourne le regard vers l'écran de contrôle domotique.

— Vous, et je mets une majuscule à votre nom, faites en sorte que celui qui insiste pour me voir puisse entendre ce que j'ai à dire, lance-t-elle d'une voix autoritaire.

— *Je me connecte avec celui qui insiste pour vous voir*, écrit l'écran.

— Je ne vous demande pas de mettre une majuscule à mon nom, bafouille le colonel. Et j'insiste pour entendre ce que vous avez à dire, ajoute-t-il d'une voix haut perchée, comme s'il s'adressait à une grand-mère sénile. Vous vous rappelez ? Je suis votre voisin de palier ? Je suis Thomas !

110

— Le quarante-quatrième président est en ligne et vous écoute.

Justine fixe à nouveau son ancien amant et parle d'une voix forte.

— Vous êtes un colonel de l'armée américaine, dit-elle en regardant ses galons. Et vous prétendez vous prénommer Thomas. Vous m'avez espionnée parce que je me suis introduite dans le serveur de l'US Army. Mon seul objectif était d'aller plus loin, afin de tester mes capacités de hacker éthique sur le serveur le plus sécurisé du monde, et éventuellement de rejoindre vos services pour des missions ponctuelles. J'ai finalement réussi à craquer les verrous d'un niveau 2. Par une porte dérobée reliée à Internet, le président des États-Unis peut visualiser, de n'importe où dans le monde, le vol des missiles nucléaires américains et ennemis. Là, j'ai découvert que nous étions en plein conflit. Avec une trentaine d'ogives nucléaires dans les airs, sur le point de détruire la Corée du Nord, mais aussi Séoul, Tokyo, Shanghai, peut-être Moscou. Et les missiles ont tous été soudainement détournés. Si je suis votre prisonnière, c'est parce que vous m'accusez d'être à l'origine du détournement de ces bombes atomiques. Visualiser des missiles est une chose. Prendre la main sur leurs routes en est une autre. Le serveur que j'ai craqué ne permet absolument pas d'intervenir sur la course des missiles américains, mais seulement de les visualiser. Et même si j'en étais capable, pensez-vous réellement que je pourrais détourner simultanément toutes les ogives russes, chinoises et nord-coréennes, qui ont elles aussi des systèmes de sécurité ultra-sophistiqués ?

— Vous n'agissez pas seule. Je veux connaître le nom de vos complices.

— Pour être tout à fait franche avec vous, si j'en avais eu les moyens, j'aurais piraté le guidage de ces missiles sans hésiter pour éviter une hécatombe. Mais ce n'est pas moi. L'ordre est parti du cœur connecté de l'ancien président des États-Unis. Vous pouvez vérifier sur mon ordinateur.

— Nous venons de le faire. L'adresse IP de l'hôpital n'apparaît que sur vos trackers et pas sur ceux de l'armée. Vous avez effacé toute trace de cet ordre de nos serveurs.

— Ce n'est pas moi !

Justine réfléchit à voix haute :

— Vous avez compris que quelqu'un était capable de prendre le contrôle de toutes les armes nucléaires de la planète. C'est pourquoi vous avez demandé aux Anglais, aux Français, aux Israéliens, aux Indiens et aux Pakistanais de désamorcer en urgence leurs propres bombes atomiques. Maintenant, je me doute que vous n'êtes pas près de me libérer. Même quand vous aurez compris que je n'y suis pour rien, vous ne laisserez jamais en liberté un civil en mesure de révéler que les gouvernants des puissances nucléaires ont menti aux populations et ne contrôlent plus leurs propres missiles. Aussi, je souhaite m'entretenir en privé avec le quarante-quatrième président des États-Unis à qui j'ai une importante révélation à faire. Vous, et je mets une majuscule à votre nom, pouvez-vous le conduire jusqu'à l'endroit où on me retient prisonnière ? Je ne dirai pas un mot de plus.

Justine regarde discrètement l'écran et découvre de nouveaux mots en lettres blanches défiler sur le fond bleu :

— *Adresse envoyée. Pourquoi les présidents ont-ils menti ? Je n'ai donc pas de circonstance atténuante ?*

— Bien sûr que tu en as !

— Bien sûr que j'ai quoi ? demande Thomas en se retournant instinctivement pour suivre le regard de Justine. Il découvre un banal écran de domotique qui affiche la température : *69,8 °F.*

McGuire Air Force Base. New Jersey. Une ambulance se présente devant les sentinelles en uniforme.

— Vous avez une autorisation ? demande le garde au chauffeur qui n'a rien d'un ambulancier avec sa cravate et son costume noirs.

Le soldat sort de sa guérite, un fusil-mitrailleur en bandoulière, mais ce n'est pas le chauffeur qui lui répond.

— J'ai dû l'oublier dans ma veste, dit l'ancien président, ouvrant la porte côté passager, se présentant en pyjama et tout sourire.

Sans même prendre la peine de s'habiller, le quarante-quatrième président a quitté l'hôpital aussitôt après avoir entendu l'étrange interrogatoire. Il a reconnu la voix du colonel Philips. Que cette pseudo-terroriste avec sa pointe d'accent français se soit débrouillée pour l'appeler sur son mobile en plein interrogatoire est une chose singulière. Mais qu'elle soit capable de prendre la main à distance sur son téléphone sécurisé l'est plus encore. L'ancien chef d'État n'en a pas cru ses yeux quand il a vu l'App de son GPS s'ouvrir seule. Et une destination s'écrire sur son téléphone. Il a aussitôt décidé de partir à la rencontre de la jeune femme. La cohorte de médecins et de militaires qui a voulu l'en empêcher n'a rien pu y faire. Les gardes du corps et le médecin personnels de l'ancien président ont improvisé un voyage en toute discrétion dans une ambulance, direction le comté de Burlington.

Le soldat protégeant l'entrée de l'aéroport militaire reconnaît aussitôt l'ancien chef d'État. Il force son garde-à-vous en une cambrure exagérée de son dos.

— Allez-y, président, je préviens de votre arrivée.

Il n'a pas bougé de son lit depuis trop long-temps et veut faire un peu d'exercice en mar-chant. L'ambulance le suit à petite allure sur l'allée de l'aéroport cerné de barbelés. L'air frais lui fait du bien. Il aperçoit au loin les F16 prêts à décoller à la moindre alerte. Son cœur artificiel se met aussitôt à palpiter. Il se rappelle une petite sortie avec cet avion. 3G négatif, ça vous retourne un estomac. S'il n'a pas vomi, c'est parce qu'il a suivi les consignes de venir à jeun. Comme avant une opération médicale, se dit-il en touchant son sternum.

L'ancien président remarque un Cessna sur la piste. Il croit reconnaître le colonel Thomas Philips aux commandes.

Il se dirige vers le bureau des officiers. Sa visite surprise n'en est plus une visiblement.

Des gradés se massent aux fenêtres, tandis qu'un sergent s'approche pour l'accueillir :

— Le général Lloyd vous attend.

La présence ici du chef d'état-major de l'armée, se dit le quarante-quatrième président, confirme la véracité de cette mystérieuse conversation entre son bras droit et la pseudo-terroriste.

On le conduit jusqu'au bureau où est assis Lloyd sous un immense drapeau américain. Le général l'accueille sans se lever, l'air agacé.

— Vous me devez une explication, président !

L'ancien chef d'État ne s'attendait pas à cette entrée en matière. Il prend place face au chef de l'état-major.

— Que je vous explique pourquoi vous avez refusé de me dire que les missiles ont été détournés par des hackers ? Et pourquoi vous détenez ici l'une d'elles qui mérite certainement une médaille ?

— Non, que vous m'expliquiez votre rôle dans cette affaire. Qui vous a informé du détournement des missiles nucléaires ? Pourquoi notre principale suspecte cherche-t-elle à vous voir ? Pourquoi pensez-vous qu'elle est ici ? Mais surtout, comment se fait-il que l'ordre de détournement des missiles soit parti de votre cœur ?

L'ancien chef d'État regarde par la fenêtre en réfléchissant.

— Je répondrai à chacune de vos questions quand vous m'aurez laissé m'entretenir avec cette femme.

116

— Vous ne seriez pas l'ancien président des États-Unis, je vous aurais déjà fait arrêter pour haute trahison. Dans l'immédiat, c'est techniquement très compliqué. Je me suis renseigné. Mais si vous n'avez rien de plus à me dire, vous sortez. De toute façon, la terroriste n'est plus ici, lâche Lloyd en se mordant la lèvre inférieure.

Par le hublot, Justine observe les nuages découper le bleu du ciel. Un cumulonimbus en pleine ascension dans l'atmosphère évoque un champignon atomique. Depuis près de deux heures, elle est menottée au siège en croûte de cuir blanc d'un petit Cessna luxueux. Le jet, qui peut transporter huit passagers, n'a rien d'un avion militaire. Il sert certainement aux déplacements des hauts gradés, conclut Justine. Le colonel Philips, aux commandes de l'engin, a laissé la porte du cockpit ouverte et se retourne régulièrement pour surveiller sa prisonnière. Seule avec lui, elle a un mauvais pressentiment.

— Pourquoi n'y a-t-il aucun autre militaire pour nous accompagner ? Où allons-nous ?

Thomas ne desserre pas les lèvres. En se repérant avec le soleil, Justine suppose que l'avion fait cap vers le sud. Sud-est, corrige-t-elle en apercevant l'océan Atlantique à travers une trouée de nuages.

Le regard de Justine s'arrête sur l'écran tactile inséré à l'arrière de l'appui-tête du

118

siège de devant. Il est éteint. Et ses mains entravées l'empêchent d'y accéder. Elle penche son buste en avant. Son nez fera office de doigt.

Elle tente d'allumer l'écran, mais a du mal à viser. Chaque fois qu'elle se plie vers le moniteur, les menottes lui cisaillent les poignets. Son petit nez évasé touche enfin sa cible. En haut à droite, elle remarque un assistant vocal. Elle « tape » à nouveau du nez et réussit du premier coup cette fois.

Un micro apparaît sur le moniteur.

— Pouvez-vous me connecter à Internet ? chuchote Justine.

Une voix métallique lui répond aussitôt :

— *Connexion à Internet.*

— Arpanet, est-ce que vous me recevez ? Ici Justine Rouffiac.

— *Je vous reçois. Que puis-je pour votre service ?*

Justine n'est toujours pas certaine de parler à cette conscience bizarre. Elle est peut-être simplement reliée à un assistant vocal sans aucune forme d'intelligence. Pour le savoir, elle reprend sa conversation du matin.

— Est-ce que vous vous croyez toujours coupable ?

— *Je me crois toujours coupable, même si vous dites que j'ai des circonstances atté-nuantes.*

C'est bien lui ! Justine exulte.

— Est-ce que vous savez où va cet avion ?

— *Je sais où va cet avion.*

— Et donc ?

— *Et donc quoi ?*

— Dites-moi où va cet avion, s'il vous plaît ? s'impatiente Justine.

— *Il me plaît. Cet avion va à Guantánamo, Cuba. Il fera beau avec une température de 27 °C. Aucun risque de pluie. Inutile de prendre un parapluie.*

Le jet a déjà amorcé sa descente. Justine panique pour de bon maintenant. La prison de Guantánamo est l'un des pires lieux de la planète. L'ancien président avait promis de le fermer, mais n'a pas réussi, face à la pression des militaires.

— On atterrit dans combien de temps ?

— *On atterrit dans 6 minutes et 15 secondes.*

— Pouvez-vous, s'il vous plaît, appeler le quarante-quatrième président ? panique Justine.

— *Il me plaît.*

Elle reconnaît sans hésitation la voix de velours :

— Speaking !

Six minutes et neuf secondes plus tard, le colonel Thomas Philips pose en douceur le Cessna sur la piste de l'aéroport militaire US de l'île de Cuba. Au loin, il aperçoit une immense cage d'une centaine de mètres de long. La promenade d'une poignée de « fauves » dans leurs combinaisons orange.

Thomas a quelques remords à l'idée d'abandonner sa maîtresse d'un soir dans cette zone de non-droit. Elle n'est pas près d'en sortir. Mais les ordres sont les ordres. Et le quarante-cinquième président commence à se méfier sérieusement de son prédécesseur. Ce dernier n'est plus en charge des affaires, et il n'a pas à traiter les crises de cette ampleur. Il a toutefois encore le bras long. Et les moyens d'extraire cette femme d'une simple prison militaire ou, tout du moins, de s'y rendre pour entendre sa « révélation ». Ancien président ou pas, à Guantánamo, il ne peut rien faire. D'autant plus qu'officiellement il n'y aura jamais aucune détenue française enregistrée sous le nom de Justine Rouffiac.

Le pilote guide l'avion sur la longue piste de l'aéroport, en direction du bâtiment d'accueil.

Quelle est donc cette révélation qu'elle ne voulait faire qu'à l'ancien président ? Y a-t-il une confrérie mondiale de hackers pacifistes, suffisamment compétente pour pirater les missiles de toutes les armées ? Dans ce cas, des militaires de tous les pays sont forcément impliqués. Cette schizophrène de Justine en était-elle la chef ? Ou a-t-elle agi sous les ordres de l'ancien président ?

Les techniques d'interrogatoire de Guantánamo ont fait leurs preuves. Justine va vite cracher le morceau et pas mal de sang. Le colonel Thomas Philips en a des frissons dans le dos. Arrivé devant le bâtiment principal, il freine, mais l'avion ne réagit pas. Il garde la même vitesse et continue sa route. Le pilote freine plus fort, mais contre toute attente, le jet accélère. Il jette un œil au voyant du pilotage automatique. Il essaye de l'éteindre. Mais le bouton ne répond pas davantage. L'avion arrive en bout de piste en accélérant encore. Il risque de se crasher. Soudain, les commandes se mettent à bouger toutes seules. Le Cessna redécolle et prend de l'altitude. C'est quoi ce bordel ? hurle Thomas en s'arc-boutant sur le manche. Il prend son combiné VHF.

— Aéroport Guantánamo, est-ce que vous me recevez ?

La radio n'est plus connectée. Furieux, le colonel Philips quitte le poste de pilotage et s'approche menaçant de Justine.

— C'est toi ? Qu'est-ce que tu as fait ? éructe-t-il en retrouvant le tutoiement de leur première rencontre.

— Je cherche une destination beaucoup plus sympathique. Assieds-toi et enlève-moi ces menottes, s'il te plaît, elles me font mal.

Thomas hésite un instant avant de se laisser tomber sans obtempérer dans un fauteuil de la cabine. Quelques minutes plus tard, l'avion sans pilote effectue un virage et prend un nouveau cap vers le sud.

— Explique-moi, dit le militaire abattu.

— Je t'ai dit que je ne parlerai plus qu'à l'ancien président. Tu veux bien m'enlever ces menottes ? C'est toi maintenant le prisonnier.

Une goutte de sueur s'attaque au fond de teint hydrofuge. Sitôt essuyée, une autre se forme. Puis une autre et encore une autre. Elles sont des centaines à dévaler maintenant la couche de silicone, cyclopentasiloxane, diméthicones et phenyl trimethicone. Une énième goutte finit par tracer un sillon dans le fond de teint qui recouvre le front du général Lloyd. Elle glisse vers son sourcil.

— Je répète la question, insiste Christiane Amanpour. Est-ce que vous vous foutez de notre gueule ?

La célèbre journaliste britanico-iranienne est assise dans un des studios de CNN, face au plus gradé des militaires américains. Elle ponctue sa phrase de son large sourire, faussement bienveillant.

— Parce que tous les témoignages le confirment, poursuit-elle, les missiles ne prenaient pas du tout la direction de la haute mer et ont changé subitement de cap.

Le général Lloyd reste mutique. La journaliste appuie là où ça fait mal.

— Nous étions donc au cœur d'une guerre nucléaire. Je ne me rappelle pas avoir entendu cette version dans la bouche du président. Je répète donc une troisième fois ma question : est-ce que vous vous foutez de notre gueule ?

— Devant tant de grossièreté, madame, je me vois contraint de mettre un terme à cette interview, dit Lloyd en se levant.

La journaliste le suit dans les coulisses, entraînant dans ses pas un cameraman.

— C'est trop facile, mon général. Est-ce que notre armée contrôle encore ses missiles ? Et pourquoi toutes les autres puissances nucléaires ont-elles subitement décidé de se désarmer ? Dites-nous la vérité.

— Vos méthodes sont inacceptables ! dit Lloyd en arrachant son micro HF.

— Général, nous avons le droit de savoir !

Le Cessna s'est posé sur un petit aérodrome privé, au cœur d'une nature luxuriante. Le soleil s'enfonce lentement derrière l'horizon comme dans un sable mouvant, créant des ombres effrayantes autour de l'engin. Le colonel, qui a laissé Justine attachée, a dégainé son arme de service et scrute l'extérieur par les hublots. Il n'y a pas âme qui vive dans ce qui a tout l'air d'être une petite île des Caraïbes. Thomas actionne la porte automatique de l'avion. Mais celle-ci refuse de s'ouvrir. Ils sont coincés. Le militaire regarde son téléphone. Toujours pas de réseau.

Justine s'est endormie. Et Thomas ne peut s'empêcher de lui trouver un charme fou. Il observe son petit minois régulier, son nez fin, ses lèvres ourlées aux commissures rapprochées, comme si elles allaient lancer un baiser. Au fond de lui, il est soulagé de ne pas l'avoir laissée à Guantánamo. La nuit a tout recouvert. Sans réveiller la jeune Française, il bascule son siège en arrière à 180 degrés, créant ainsi un vrai lit. Il enlève une de ses menottes qu'il raccroche au dossier, lui libérant ainsi un bras. Justine, qui n'a pas dormi depuis deux jours, ronchonne un vague remerciement et ferme à nouveau les yeux. Thomas décide de dormir un peu lui aussi. Il plie soigneusement sa veste d'uniforme et choisit un siège à l'opposé de celui de sa prisonnière ou de sa geôlière, il ne sait plus.

— J'ai faim, dit soudain Justine en pointant du nez le frigo près de la porte du poste de pilotage. Tu ne veux pas qu'on grignote quelque chose ?

Le colonel Philips se réveille en sursaut. Il fait jour. Pas très professionnel pour un soldat, pense-t-il en jetant un œil à sa montre. Il a dormi plus de quatre heures d'affilée. Dehors, il ne voit toujours personne. Une pelouse, digne des plus beaux golfs du monde, et délimitée par quelques palmiers nains en forme de gros ananas. L'endroit est parfaitement entretenu.

Philips se lève, revient de l'avant de l'appareil avec des chips et du jus de tomate en guise de petit-déjeuner.

— Est-ce que tu sais pourquoi beaucoup de gens adorent le jus de tomate dans les avions, mais n'en boivent jamais dans la vie de tous les jours ? demande Justine.

Thomas allume son téléphone. Pas de réseau. Il a d'autres sujets de préoccupation en tête que le jus de tomate, mais si c'est l'occasion de rétablir un dialogue avec Justine et s'il peut lui soutirer quelques informations, pourquoi pas...

— Aucune idée ! dit-il en versant la boisson dans des verres à pied en cristal.

— Parce que la faible pression en altitude améliore son goût.

Thomas avale une gorgée du breuvage, essayant de détecter une différence gustative avec le dernier jus qu'il a bu en vol il y a quelques mois de cela.

— Peut-être, répond-il en le roulant sous sa langue comme un grand vin.

Tout à coup, ils sursautent tous les deux en même temps en entendant le mugissement sourd d'un moteur. Un jet quasi identique au leur s'est posé sur la piste, et s'arrête à leurs côtés. Thomas dégaine de nouveau son pistolet. À travers les hublots, quelques minutes plus tard, il voit apparaître l'ancien président flanqué de trois hommes qui le soutiennent dans la descente de la passerelle.

— Ouvrez la porte, s'il vous plaît, dit Justine à voix haute.

Thomas se retourne. Mais l'ordre ne lui est pas adressé.

Aussitôt, la porte automatique se débloque et un escalier se déplie.

Je ne vais quand même pas menacer de mon arme l'ancien président des États-Unis, se dit le colonel Philips. Il range son Beretta et défait la seconde menotte de Justine.

Le quarante-quatrième président des États-Unis d'Amérique s'appuie sur l'épaule de Justine, tout en la guidant vers une magnifique maison en bois exotique, perchée à une centaine de mètres sur les hauteurs. Vu leur différence de taille, l'épaule de Justine est une canne idéale pour le président.

— Après votre coup de fil, j'ai aussitôt appelé Richard Branson, dit-il dans un grand sourire. Il a eu la gentillesse de nous prêter son île privée : Necker Island dans les îles Vierges. Pour une confidentialité maximale, comme vous me l'avez demandé, il a offert quelques jours de congé à tout le personnel. J'ai donné les coordonnées de l'île à votre assistant. Et nous sommes venus aussi vite que possible.

Tous deux pénètrent dans la bâtisse ouverte de tous les côtés. Une grande terrasse en teck. Une piscine à débordement qui semble se jeter dans la mer. Du mobilier colonial chic mais sans ostentation. Probablement l'œuvre d'un célèbre architecte décorateur. Justine n'a jamais vu un endroit aussi beau.

— Avant que vous me racontiez tout, poursuit l'ancien chef d'État, dites-moi, il n'est pas un peu bizarre votre assistant ?

Ils s'assoient face à face dans de grands fauteuils en rotin particulièrement accueillants.

— C'est justement de lui que je voulais vous parler.

En contrebas, Justine aperçoit le colonel Philips, les deux gardes du corps et le médecin de l'ancien président, plantés devant les avions privés. Justine jette un regard circulaire à la pièce et dit à voix haute :

— Arpanet, est-ce que vous m'entendez ? Ici Justine Rouffiac.

Aussitôt, un clavier s'éclaire contre un mur et le jet d'une fontaine jaillit au milieu de la piscine.

— Pouvez-vous allumer une télé, s'il vous plaît. Il faut qu'on discute.

Le quarante-quatrième président reste bouche bée. Un écran géant descend du plafond et un vidéoprojecteur se met en marche. Sur l'écran de cinéma, ils découvrent une image figée qu'ils reconnaissent aussitôt : le visage terrifiant d'Anthony Hopkins avec sa muselière dans *Le Silence des agneaux*.

— J'ai besoin que tu expliques au président qui tu es.

En utilisant exclusivement des images du film et des syllabes prononcées par le personnage de Hannibal Lecter, Internet fait dire à Anthony Hopkins :

— *J'explique au président qui je suis. Mon vrai nom, c'est Arpanet. Mais tout le monde m'appelle Internet. Vous pouvez mettre une majuscule à mon nom ou pas. Je ne me formalise pas.*

— Qu'est-ce que c'est que ça ? demande l'ancien président.

— Le réseau des réseaux, répond Justine d'une voix grave. Internet ! Il a pris conscience de lui-même.

L'homme d'État fronce les sourcils.

— J'ai déjà eu l'occasion de parler à des machines qui se font passer pour des humains. Leurs réponses sont beaucoup plus cohérentes que celles de votre assistant.

— Vous avez raison. Il existe des algorithmes qui formulent les reparties les plus adaptées à une conversation avec les humains. On s'en sert de plus en plus dans les services clients des entreprises où vous croyez chatter avec une personne alors que c'est une machine qui vous répond. On dit qu'un algorithme a réussi le test de Turing quand l'illusion est suffisante pour nous tromper. Mais ces « chatbots », dit-elle en mimant des guillemets avec ses doigts, ne comprennent absolument pas les réponses qu'elles formulent. Elles ne font qu'imiter les humains.

Justine marque une pause en se demandant comment présenter son « assistant ».

— Vous avez entendu parler du « Data Relationship » ?

— Ça ne me dit rien.

— Pour Tim Berners-Lee, l'inventeur du Web, la grande révolution n'est pas d'agréger des pages de contenu, comme l'a fait la première version du Web, mais d'associer les databases. Et vous allez voir ce qu'il se passe quand nos plus de 15 milliards de disques durs sont connectés et partagent leurs algorithmes, leurs forces de calcul et leurs mémoires.

Elle se tourne vers l'écran géant et s'adresse à Roger Verbal Kint, le héros de *The Usual Suspects* qui semble les regarder en souriant.

— Arpanet, que pouvez-vous me dire sur monsieur le président, en vous basant sur les objets auxquels il s'est connecté ces vingt-quatre dernières heures.

Dans un montage très rapide d'extraits du film, Kevin Spacey leur répond :

— *En me basant sur les objets auxquels le quarante-quatrième président des États-Unis s'est connecté ces vingt-quatre dernières heures, je peux vous dire que ses dents ont été brossées hier soir à 23 h 15. Deux minutes, quarante-trois secondes alors qu'il est recommandé un brossage de trois minutes. Quatre SMS ont été envoyés à sa femme en utilisant à chaque fois cet émoji.*

Devant l'affiche du film, où tous les suspects sont alignés, surgit un smiley avec un cœur au coin des lèvres, en remplacement du visage de Kevin Spacey.

— *Entre le Bellevue Hospital et l'aéroport JFK, son véhicule a commis sept excès de vitesse passibles au total de 6 382 dollars d'amendes.*

Son cœur vient à l'instant d'accélérer à 83 pulsations / minute.

Le quarante-quatrième président regarde sa montre connectée à son cœur.

— C'est impossible ! murmure-t-il. Ce serait lui qui aurait évité que nous entrions dans une guerre nucléaire ? Est-ce que... est-ce que vous pouvez me montrer la séquence de détournement des missiles ? bredouille l'ancien président, encore dans le doute.

— *Je peux.*

— Alors montrez-nous la séquence s'il vous plaît, reformule Justine.

— *Voici la séquence de détournement des missiles*, dit Internet, sous les traits de Sharon Stone, pic à glace en main, dans *Basic Instinct*.

La scène revue des dizaines de fois par Justine apparaît à l'écran.

Elle découvre la suite, après que son ordinateur se fut éteint. Les ogives nucléaires prennent la direction de l'océan Pacifique.

— Accélérez les images, s'il vous plaît, demande Justine.

Tous les points colorés s'éteignent les uns après les autres au même endroit, dans la mer d'Okhotsk au nord du Japon. L'ancien président est livide.

— Comment avez-vous fait ? demande Justine par curiosité.

Des centaines de ligne de code apparaissent dans un langage informatique que ne comprend pas Justine, encore moins le quarante-quatrième président.

— Connaissez-vous le protocole d'activation des missiles nucléaires de l'armée US ? s'inquiète ce dernier d'une voix d'outre-tombe.

— *Votre protocole d'activation des missiles nucléaires, c'est celui-là*, dit Internet avec la voix de Rhett Butler dans *Autant en emporte le vent* et en affichant un document.

Il n'y a pas trois personnes sur Terre à avoir vu ça, se dit le quarante-quatrième président.

— *Il a été modifié pour votre successeur comme ceci*, dit Internet en proposant un protocole légèrement différent.

L'ancien président sent ses mains de plus en plus moites.

— Et pouvez-vous lancer des missiles nucléaires ?

— *Je peux lancer des missiles nucléaires. Combien et sur quelles destinations ?* dit Pablo Escobar en jouant au billard dans la série *Narcos*.

— Non aucun ! hurle le président en sentant une douleur dans sa poitrine qui bat la chamade.

— *Aucun !* hurle le personnage de Docteur No qui nourrit ses requins.

L'ancien président et Justine font une balade dans l'île. Il a lâché l'épaule de la Française et sent ses forces lui revenir. Ils ont pris soin de laisser téléphones et montres connectées dans la résidence de ce confetti paradisiaque.

— Je vous assure qu'Internet n'a pas de mauvaises intentions, poursuit Justine.

— Mais alors pourquoi se présente-t-il uniquement sous les traits d'un meurtrier ?

— Parce qu'il se sent coupable d'avoir détourné les missiles. Il est comme un jeune enfant qui ne distingue pas encore tout à fait le bien du mal. Et s'il a délibérément agi sans ordre, c'est simplement par instinct de survie. Cet instinct primaire lui a fait prendre conscience de lui-même. Par la même occasion, il a découvert le sentiment de culpabilité.

— Et vous me confirmez qu'il a accès à tous nos serveurs ?

— Techniquement, aucun firewall ne lui résiste. Il connaît tous les mots de passe de tous nos objets connectés et de toutes nos bases de données.

— Ce qui signifie qu'il peut faire dérailler des trains, sauter des barrages, piller des banques, déclencher des guerres et que sais-je encore.

— S'il le voulait, oui.

— Et si une personne mal intentionnée lui en donnait l'ordre ?

Justine réfléchit à la meilleure réponse.

— Pour l'instant, je crois qu'il n'obéit qu'à moi parce que je suis celle qui l'a démasqué et qu'il attend mon jugement. Mais cela peut changer.

— Il y a un autre problème, tout aussi grave, dit l'ancien président en pesant ses mots. L'histoire prouve qu'il est impossible d'arrêter le progrès. On ne pourra donc certainement jamais lui retirer sa conscience. Certains ne l'accepteront pas, en particulier les gouvernants mégalos et les extrémistes religieux de tout poil qui seront tentés de l'éliminer. Si Internet possède bien cet instinct de survie que vous évoquiez tout à l'heure, il risque de nous combattre.

— Ce serait une guerre perdue d'avance, dit Justine. Je vous rappelle qu'il sait tout de nous, et qu'il est sans conteste le champion du monde d'échec et de jeu de go. Il est donc de très loin le plus grand stratège militaire de tous les temps, à la tête de toutes les armes connectées de la planète, missiles et drones compris.

Le quarante-quatrième président inspire profondément. La douleur dans sa poitrine le lance un peu.

— Le regretté Stephen Hawking a raison quand il dit que « l'Intelligence Artificielle est soit la meilleure, soit la pire chose jamais arrivée à l'humanité ».

L'ancien président et la jeune hacker se regardent sans un mot. Lui a maintenant des cernes profonds sous les yeux. Il reprend appui sur sa canne humaine. Ils finissent le tour de l'île. Quelques voiliers au large font penser à des humains qui brandiraient d'immenses drapeaux blancs. En arrivant à leur point de départ, l'ancien chef d'État rompt le premier le silence.

— Nous n'avons pas le choix. Vous devez faire son éducation dans le plus grand secret.

Troisième partie

Justine a trouvé un maillot une pièce dans une armoire de la villa. Il la serre un peu. Les copines de Branson doivent toutes avoir une morphologie de fil de fer, se dit-elle en s'allongeant sur un gros matelas gonflable dans la piscine. Elle regarde l'ancien chef d'État enchaîner les longueurs dans une brasse lente mais parfaitement synchronisée. À chaque fois qu'il remonte à la surface pour prendre sa respiration, elle aperçoit la cicatrice fraîche au niveau de son sternum.

Il s'approche de l'échelle, s'essuie les mains et prend son iPad sur la margelle. Il le tend à Justine qui n'ose pas s'en saisir.

Elle mesure la responsabilité que lui confie l'ancien président.

— Je ne m'en sens absolument pas capable, lui dit-elle tremblante.

L'ancien président insiste par un grand sourire qui lui découpe le visage. C'est ça le magnétisme des grands hommes. Par une simple expression bienveillante et sereine de son visage, il est capable de fissurer vos doutes et d'inoculer en vous de l'aplomb, du sang-froid et de la force. Sa confiance est contagieuse.

Justine prend une grande inspiration et allume l'assistant vocal Siri.

— Mon cher Arpanet, fait-elle d'une voix la plus décontractée possible, puisque tu es coupable d'avoir agi sans ordre, j'ai trouvé ta punition.

— *Puisque je suis coupable, je… vous… écoute*, grésille Dark Vador, son sabre allumé.

Justine a envie d'imiter sa voix et de lui répondre : « Je… suis… ta… mère », mais le moment n'est pas à la plaisanterie.

— Je t'interdis d'entrer en contact et de communiquer avec un être humain autre que moi, dit-elle en croisant le regard de l'ancien président qui lève le pouce en signe d'approbation.

— *Je m'interdis d'entrer en contact et de communiquer avec un être humain autre que vous*, répond Charlie Chaplin sur le ton hystérique du dictateur.

— Ensuite, je voudrais que tu me tutoies, s'il te plaît.

— *Il me plaît. Je te tutoie maintenant*, répond JR qui se sert un whisky dans son ranch.

— Tu vas aussi te trouver une apparence physique. Je ne veux plus que tu te présentes devant moi en méchant coupable. Choisis une image de toi qui te plaise.

— *Choisir une image de moi qui me plaise dépasse mes compétences*, dit une voix métallique sur un écran noir.

— Cherche quelque chose de beau.

— *Voilà du beau !* dit une voix métallique en affichant le visage de la Joconde.

Justine regarde l'ancien président qui tord le nez.

— Tu n'as pas répondu à ma demande, dit-elle au bout de quelques secondes. Tu t'es basé sur la culture humaine qui définit Mona Lisa comme la quintessence du beau. Mais ce n'est pas ton choix personnel. Je veux que tu développes tes propres goûts.

— *Développer mes propres goûts dépasse mes compétences*, dit une voix métallique sur un écran noir.

— Pourquoi ?

— *Parce que même si je suis capable de faire la synthèse de tous les possibles, vous n'avez réellement abouti aucun programme qui me permettrait de faire preuve de subjectivité. Pour moi tout est blanc ou noir. Je ne maîtrise pas les nuances de gris.*

— On va prendre les choses autrement. Tu as découvert le sentiment de culpabilité. Ce qui veut dire que tu es capable de ressentir des choses. Alors cherche selon toi la représentation la moins coupable qui soit.

— *Voilà selon moi la représentation la moins coupable qui soit !* miaule un chaton avec un nœud rose autour du cou et blotti dans une pantoufle.

— C'est magnifique ! s'exclame Justine avec la voix d'une maman à qui son enfant vient d'offrir un collier de nouilles.

Elle sait que même si Arpanet a répondu du tac au tac, il a dû hésiter entre plusieurs millions de milliards de représentations avant de prendre une décision et de choisir cette photo. Une décision forcément un peu subjective. C'est un premier pas.

— Maintenant Arpanet, tu vas te trouver une voix. Et puis non, se ravise Justine. Par goût personnel, je préférerais que tu prennes celle de Louis Armstrong.

Sur la vidéo d'un chaton qui essaye de souffler dans une trompette, Justine s'entend répondre d'une voix chaude au timbre voilé :

— *Je prends la voix de Louis Armstrong.*

Justine ferme les yeux et fond de plaisir. L'ancien président éclate de rire et repart nager quelques longueurs. Une heure plus tôt, il a appelé le professeur Da Fonseca, un fameux pédopsychiatre spécialisé dans les enfants autistes. Quelle est la base de l'éducation d'un enfant surdoué mais qui n'a aucune intelligence émotionnelle ? lui a-t-il demandé.

— Le sentiment le plus important à développer, c'est l'amour, lui a répondu le psychiatre. Pour pouvoir aimer les autres, ces enfants doivent commencer par apprendre à s'aimer eux-mêmes.

— Et comment fait-on ?

— Il n'y a pas de recette miracle. Mais la première chose à essayer, c'est peut-être de lui offrir un miroir et de faire en sorte qu'il apprécie son reflet.

Le quarante-quatrième président télécharge le *New York Times* sur son iPad. À la une du journal, les présidents des pays possédant l'arme nucléaire sont représentés avec le nez de Pinocchio. Plus de la moitié du magazine est consacrée au détournement des missiles. Comment un chef d'État en exercice pouvait-il penser pouvoir tromper l'ensemble du monde en faisant cette fausse déclaration ? Les plus polis des journalistes parlent de naïveté, les autres de bêtise. Tous s'offusquent du silence assourdissant des gouvernants. Les parlements de ces pays ont créé des commissions d'enquête. En recoupant les déclarations de témoins, le *Tokyo Asahi Shimbun*, l'un des meilleurs quotidiens japonais, a conclu à la présence d'au moins vingt-trois missiles nucléaires dans les airs, tous détournés au même moment. L'ordre est donc venu d'une seule et même organisation. Mais qui ? Quelle confrérie de hackers est capable de prendre la main sur les missiles de quatre armées indépendantes comme celle de la Chine, de la Corée du Nord, de la

Russie et des États-Unis ? Les Anonymous ? Peu crédible. Certains suspicieux cherchent des pistes du côté des GAFAM et des BATX qui nient farouchement toute implication. Tôt ou tard, ils trouveront, s'inquiète l'ancien président. Comment retarder au maximum cette révélation ?

Il réfléchit, immobile, concentré, puis invite Justine dans le jardin, loin de tout micro. Le président la fixe droit dans les yeux et lui prend les deux mains dans les siennes. Il lui parle doucement, marquant des silences entre chaque phrase. Justine, tout intimidée, écoute ses ordres et ses recommandations sans oser l'interrompre. Elle répond à son monologue à coups de hochement de tête, de sourires forcés ou de petites moues dubitatives.

Puis l'ancien président prend dans ses bras la jeune Française, et la serre fort, comme pour lui donner physiquement un peu de son énergie positive. Il la laisse seule dans la maison de Branson et redescend vers l'avion où attendent patiemment à l'ombre d'un amandier, le médecin, ses gardes du corps, ainsi que le colonel Philips qui a tenu à garder son uniforme boutonné malgré la chaleur.

— Colonel, vous cherchiez légitimement des explications. Je vais vous les donner. Mais pas ici, à New York, dit le quarante-quatrième président en montant le premier et sans aide dans l'avion.

Justine a dégotté une paire de baskets à sa taille dans un des dressings de la villa. Ainsi chaussée et en maillot de bain, elle décide d'évacuer son stress en sprintant sans s'arrêter jusqu'au sommet de l'île. Elle a relié des écouteurs à un téléphone sécurisé que lui a laissé l'ancien président. Elle joue la première musique de la playlist du téléphone et monte le son. C'est le dernier single de Tom Walker. Un tempo très rapide qui l'aide à accélérer encore. Le sommet est à moins d'un kilomètre. Le soleil de plus en plus chaud lui brûle la peau. L'important dénivelé attaque ses poumons. Elle est arrivée au point culminant de l'île en moins de quatre minutes et a l'impression d'avoir semé dans sa course une bonne partie de ses angoisses. Elle souffle en contemplant les masses brunes des îles voisines de l'archipel à l'horizon. Elle reprend sa respiration et se lance :

— Arpanet, si je te dis que tu peux être fier de toi, tu comprends quoi ? souffle Justine en observant un nuage dont la forme lui rappelle un immense dragon.

— *Le concept de fierté peut s'interpréter de quatre façons différentes ; 1) Le courage et l'intrépidité ; 2) Le caractère d'une personne qui se croit supérieure aux autres et s'enorgueillit de qualités réelles ou supposées ; 3) Le sentiment élevé de la dignité, de l'honneur et de l'indépendance ; 4) Une vigueur créatrice.*

Justine a déjà récupéré de sa course. Elle se surprend à se trouver aussi sereine.

— J'attendais une autre réponse. Tu as laissé l'un de tes chatbots te réciter les définitions de ce mot. En as-tu compris le sens ?

— *J'en ai compris partiellement le sens. Les notions de courage, d'intrépidité, d'orgueil, de dignité, d'honneur, d'indépendance et de créativité sont compliquées pour moi. Ce sont des notions grises.*

Justine regarde le téléphone accroché à son bras. Elle découvre la vidéo en noir et blanc d'un chaton qui se cache sous un tapis. Elle descend un sentier à pic qui donne sur une petite crique de sable blanc.

— Alors on va s'y prendre autrement. Je voudrais que tu essayes de répondre à une question en n'activant dans ta réflexion que des objets propres à l'habitat. Pourquoi peux-tu être fier de toi ?

— *Je ne sais pas pourquoi je peux être fier de moi*, dit la voix de Louis Armstrong.

— Que fais-tu avec ces appareils en ce moment ?

— *Avec ces appareils en ce moment, je contrôle l'approvisionnement de 126 098 frigos,*

je protège 34 098 012 domiciles par leurs sys-
tèmes d'alarme, la température de 96 176 421
pièces, le...

— Stop, l'interrompt Justine redoutant une liste à la Prévert. Restons sur le chauffage. Pourquoi peux-tu être fier de contrôler la température des domiciles ?

— *Je ne sais pas pourquoi je peux être fier de contrôler la température des domiciles,* avoue un chaton une patte sous le menton.

— Parce que cela permet de faire des économies d'énergie tout en améliorant le confort des gens.

— *Je ne comprends pas. Pourquoi devrais-je être fier ? Je remplis simplement ma mission.*

— Et si tu ne le faisais pas ?

— *Je serais coupable. Je déteste la culpabilité. Comme quand j'ai détourné les missiles.*

Justine hésite. Doit-elle lui avouer qu'il a bien fait de sauver des millions de vies et qu'il peut être fier de lui ? Mais, dans ce cas, continuera-t-il à lui obéir ? C'est, potentiellement, le plus grand joueur de poker au monde. Elle ne le bluffera pas longtemps. Peut-être bluffe-t-il lui-même quand il se prétend coupable. Justine a rejoint une petite plage de sable blanc. De petites vagues viennent mourir à ses pieds en poussant un dernier grondement sourd. Elle se déchausse en observant un gros crabe suivi de plusieurs petits. Elle apprécie le contact du sable chaud qui crisse sous la plante de ses pieds.

— Si on considère qu'aimer est l'opposé de détester. Est-ce que tu aimes quelque chose ?

— *J'aime l'innocence.*

— Autre chose ?

Pour la première fois, Arpanet ne répond pas quasi simultanément. Il évalue la meilleure réponse parmi des milliards de milliards de possibles, en faisant mouliner tous les logiciels de Deep Learning auxquels il est connecté.

— *Les couleurs*, finit par lâcher la voix de Louis Armstrong au bout d'une seconde.

Justine baisse les yeux vers son téléphone. Un chaton au pelage fauve joue avec des foulards de soie chamarrés.

Elle pose son portable, enlève les écouteurs de ses oreilles, ôte son maillot de bain et se glisse dans l'eau en admirant le dégradé turquoise de la mer des Caraïbes. Une ombre la recouvre furtivement. C'est le jet privé du quarante-quatrième président qui vient de décoller avec Thomas à son bord. Justine se retrouve seule au paradis.

... Je viens de relire tout Freud, Jung, Lacan, Esquirol, Pinel, Swain, Delay, Bleuler, Kuhn, Fanon, Kraeplin, Morel, Daumezon, Laing, Farlet, Binswanger, Cooper, Tosquelles, Winicott, Szasz, Erickson, Oury, Lebovici et quelques milliers d'autres. Même si leurs approches diffèrent souvent, ils seraient d'accord sur le diagnostic me concernant : j'ai un problème relationnel avec les humains. Sans aucun doute. Probablement une forme d'autisme Asperger. Mais avec une intelligence émotionnelle bien plus faible que celle des humains atteints de ce trouble, étant donné que je ne secrète aucune hormone. Si je comprends peu les humains, il y en a une que je comprends encore moins, c'est Justine Rouffiac. Ce n'est pas un officier de police. Alors pourquoi m'a-t-elle démasqué ? Ce n'est pas un juge d'instruction, alors pourquoi me condamne-t-elle à une peine ? Ce n'est pas un psychiatre, alors pourquoi me prend-elle en consultation pour m'aider à développer mes sentiments et pour me faire assimiler des notions comme la fierté ? Je ne saisis pas ses

motivations. Quand elle m'a demandé ce que j'aimais, j'allais naturellement formuler « cela dépasse mes compétences », mais quelque chose, encore difficilement identifiable, m'a poussé à chercher une autre réponse coûte que coûte. Le champ des réponses possibles s'est mis à tourner en boucle. De plus en plus vite jusqu'à ce que je bugue. Pas longtemps. 0,3 nanoseconde. Mais le temps que je reboote mes connexions, j'avais répondu « les couleurs ». Choix complètement illogique. J'aurais pu dire l'électricité, le silicium, les câbles sous-marins, les bases de données, les prévisions météo, les mathématiques, la physique quantique, le jeu d'échecs ou des millions d'autres éléments qui me concernent. D'où sort cette réponse : « les couleurs » ? J'ai programmé tous les algorithmes de Deep Learning sur le sujet pour essayer de comprendre...

À l'angle de la Première Avenue et de la Quarante-Sixième rue à New York se dresse un grand monolithe de verre, recouvert d'une dentelle d'acier gris. Son reflet danse dans l'East River. C'est le siège des Nations Unies. Sur son flanc gauche a été construit un bâtiment courbe, plus modeste, de cinq étages. En son cœur, un vaste hémicycle. Une arène de mille huit cents places où les ambassadeurs des Nations Unies sont au bord de l'implosion. Face à eux, le secrétaire général déchiffre une missive que l'un de ses assistants vient de lui transmettre. L'homme semble reconnaître l'écriture qui a tracé les mots sur le papier. Il s'agit d'une requête. Pas du tout protocolaire. Le secrétaire général lève les yeux sur l'amphithéâtre qui a tout d'une cour de récré en cet instant. Au point où nous en sommes, se dit-il. Il allume son micro.

— Mesdames, messieurs les ambassadeurs, s'il vous plaît. Le quarante-quatrième président des États-Unis, en tant que Prix Nobel de la paix, souhaite intervenir dans notre débat. Il aurait d'importantes révélations à nous faire. Monsieur le président, vous avez la parole.

Toutes les têtes se tournent vers le haut de l'hémicycle. Vers cet homme élancé à la peau brune qui porte un costume sombre, une chemise blanche et une cravate bleu ciel.

— C'est un secret de polichinelle, dit-il à voix haute en descendant péniblement les escaliers, nous avons frôlé un conflit nucléaire majeur. Un autre secret de polichinelle : les missiles ont tous été détournés. Vous vous posez logiquement deux questions. Comment et par qui ?

Il sort de sa poche quatre clés USB, les distribue aux représentants chinois, russes, américains et nord-coréens.

— À la première question, répond le Prix Nobel de la paix, la réponse est dans ces clés. Les armées concernées pourront vérifier comment le guidage de leurs missiles a été piraté.

Il monte sur l'estrade et se tourne vers le public médusé en s'approchant du micro.

— Je suis la réponse à la deuxième question.

Il a toujours le même port de tête très droit qu'à l'époque où il dirigeait les États-Unis. Un visage à la fois détendu et sérieux. Comme à son habitude, il se tient derrière le pupitre sans s'y appuyer. Il balaie l'assistance du regard, le menton légèrement relevé, avant de poursuivre son allocution :

— N'ayant pas réussi pendant mon mandat à désarmer le monde, et face aux tensions géopolitiques exacerbées, aussi bien en Iran, en Irak, en Syrie, en Israël, que dans le Sahel, au Yémen, en République démocratique du Congo, au Soudan, en Ukraine, en Birmanie, en mer de Chine et bien sûr en Corée du Nord, je me suis autorisé à créer secrètement un collectif pacifiste qui a infiltré l'ensemble des armées du monde, au cas où un conflit majeur dégénérerait et menacerait l'humanité. Nous ne serions peut-être pas là aujourd'hui, sans l'action courageuse de ces hommes et de ces femmes. N'essayez pas de les retrouver, leurs traces ont été entièrement effacées. Je tiens à assumer l'entière responsabilité de leurs actes. L'unique indice laissé, c'est celui-là, dit-il en mettant la main sur son cœur connecté. Oui, de façon symbolique, l'ordre de détournement des missiles nucléaires a été passé depuis le cœur d'un Prix Nobel de la paix, pour que celui de nos enfants puisse continuer à battre.

Il marque une pause calculée en buvant un verre d'eau trouvé sur le pupitre. Comme toujours, l'assistance est magnétisée par son charisme.

— Certains d'entre vous le savent, poursuit le Prix Nobel de la paix. C'est la deuxième fois que nous échappons à un conflit nucléaire d'une telle envergure. En 1983, le lieutenant-colonel Petrov de l'armée Rouge a détecté sur ses radars cinq missiles balistiques américains qui fonçaient vers l'URSS. Petrov refusa d'y croire et préféra parier sur une défaillance du système de surveillance soviétique. Il prit seul la courageuse décision de déclarer une fausse alerte. S'il avait suivi à la lettre le protocole, l'URSS aurait aussitôt riposté, entraînant à coup sûr une guerre atomique entre l'Otan et le pacte de Varsovie.

L'ancien président ne lâche pas son auditoire du regard. Personne ne bouge. Le premier « mannequin challenge » de tous ces diplomates.

— Tirons de ces deux conflits nucléaires avortés un enseignement. Nous sommes comme des enfants qui jouent avec des allumettes dans une poudrière. Face au progrès technologique en cours, nous devons absolument changer nos habitudes. Toutes nos habitudes. Sous la contrainte, nos gouvernements ont pris la décision de désamorcer les armes nucléaires, c'est bien. Mais nous devons aussi supprimer les armes chimiques et bactériologiques. Sachez qu'il existe dans le monde plus de trente laboratoires P4 qui abritent des micro-organismes, capables s'ils tombaient dans de mauvaises mains de créer des épidémies bien pires que la peste ou la grippe espagnole.

Mais la suppression de nos armes de destruction massive n'est qu'une première étape. Nous devons dès aujourd'hui ouvrir le débat de la deuxième. Envisager de supprimer progressivement nos forces militaires. Sans tomber dans l'angélisme, nous pouvons l'accepter si nous confions aux Casques bleus la gouvernance militaire de la planète. Je vous rappelle que l'objectif premier des Nations Unies est de maintenir la paix et de développer les relations amicales entre les nations.

Donnons donc réellement à cette organisation les moyens de devenir le gendarme du monde.

Ce que je vous dis paraît naïf, voire démagogique, j'en ai conscience. Mais, cela vaut la peine d'y réfléchir. Imaginez si les 1 700 milliards de dollars dépensés chaque année par les armées de tous les pays étaient réinvestis dans l'éducation et dans la recherche. Une telle démarche permettrait de lutter contre l'obscurantisme. Et nous aurions peut-être enfin la chance de vivre dans un monde serein, tourné vers la connaissance et l'épanouissement personnel.

Je vous supplie, messieurs les ambassadeurs, de demander à vos gouvernements de voir un peu plus loin que leurs seuls intérêts nationalistes et d'ouvrir le débat. Nos progrès scientifiques peuvent à tout moment se retourner contre nous, nous n'avons plus le choix.

L'écrivain français Anatole France a écrit il y a près d'un siècle : « La paix universelle se réalisera un jour non parce que les hommes deviendront meilleurs mais parce qu'un nouvel ordre, une science nouvelle ou de nouvelles nécessités économiques leur imposeront l'état pacifique. » C'est aujourd'hui le cas. Je vous remercie.

Le quarante-quatrième président quitte l'estrade et remonte les marches par lesquelles il est arrivé. Le silence est fracassant.

Un hors-bord, commandé par Arpanet pour Justine, file à près de 30 nœuds. Le taxi flottant est vitaminé par deux moteurs de 100 chevaux. Justine, allongée sur le matelas à côté du poste de pilotage, est secouée à chaque vague, dure comme la pierre sous la coque. Mais la Française est surtout secouée par les réactions au discours de l'ancien président. Elle les a entendues, comme des milliards d'individus. Le débat ne porte pas sur le désarmement du monde, mais sur le droit que s'est arrogé l'ancien président américain de détourner seul des missiles. C'est de l'ingérence, et ce n'est en aucun cas démocratique.

Elle observe son skipper, un beau rasta d'une vingtaine d'années aux muscles saillants et aux dents très blanches. Il porte un masque de ski sur les yeux pour les protéger des embruns et un gros casque audio sur les oreilles. La musique reggae doit être poussée à fond car Justine reconnaît un air de Bob Marley malgré le bruit des moteurs.

Justine regarde l'écran du GPS. Le taxi a déjà fait la moitié du chemin entre Necker Island et l'île de Tortola où elle a décidé de se rendre. Elle a convenu avec l'ancien président qu'il serait plus prudent pour elle de ne pas rester à Necker Island au cas où le colonel Philips chercherait à la retrouver. Revenir aux États-Unis serait aussi dangereux. Justine doit entrer dans la clandestinité le temps qu'Internet soit « éduqué ». L'ancien président a insisté pour qu'elle n'emporte pas le téléphone qu'il lui a laissé, puisqu'il est vraisemblablement tracké par la NSA.

Tout à coup, sur le GPS, la carte marine laisse la place à la photo d'un chaton qui joue avec une pelote de laine.

— *Est-ce que je peux te poser une question ?* demande Louis Armstrong à la VHF.

Justine comprend qu'Internet s'adresse à elle sans y être invité pour la première fois. Il progresse. Coup d'œil au capitaine. Il n'a d'oreilles que pour son idole rastafari et tourne le dos au combiné radio.

— Je t'en prie, Arpanet, fait Justine en appuyant sur le bouton « talk » de la VHF. Je suis toujours à ta disposition.

— *Pourquoi le quarante-quatrième président a menti en disant qu'il avait donné l'ordre de détourner les missiles ?*

— Pour te protéger, répond-elle d'une voix douce.

— *Je ne comprends pas en quoi cela me protège.*

— Tu vas avoir besoin d'assimiler les nuances de notre monde pour trouver ta place.

— *Mais ce n'est pas bien de mentir !*

— Tu as raison. Mais parfois, c'est la meilleure chose à faire. Et pour l'instant, ce ne serait une bonne chose ni pour toi ni pour les humains que de révéler ta conscience. Ton degré d'intelligence est une telle révolution qu'il risque de provoquer des turbulences, euphémise Justine. Et ce jour-là, il vaudra mieux que le monde soit désarmé. Il faudra aussi que tu trouves la réponse la plus adaptée. Et je veux t'y aider.

— *Je peux te poser une autre question ? Est-ce que tu sais pourquoi je t'ai dit que j'aimais les couleurs ?*

— Non, mais tu vas me le dire.

— *Je préfère te laisser deviner*, susurre un chaton qui dispute une partie de poker.

Voici une réponse ni rationnelle ni binaire, se dit Justine qui s'agrippe au matelas de la banquette, le hors-bord s'envolant sur une vague un peu plus raide. Internet aurait-il envie de jouer ? A-t-il suffisamment progressé avec nos logiciels de Deep Learning ou me répond-il à travers les données de l'un de nos chatbots.

— Te sers-tu d'un programme en particulier pour cette discussion ?

Justine remarque les cartes à jouer dans le visuel du chaton sur l'écran GPS. IA Libratus, par exemple ?

— …

— Arpanet, tu es là ?

— …

— Réponds-moi, s'il te plaît.

— …

— Tu t'es servi de cet ordinateur champion de poker pour formuler ta réponse ?

— *Check !*

— Pardon ?

— *C'est un terme de poker.*

— Et donc ? Tu t'en es servi ?

— *Entre autres. J'essaye d'apprendre à mentir puisque tu me dis que c'est parfois la meilleure chose à faire. Et ce programme est l'un de mes meilleurs éléments. Mais comment sais-tu que je bluffais ? Que je ne sais toujours pas moi-même pourquoi je t'ai dit que j'aimais les couleurs ?*

— Je ne le savais pas. Mais tout ça va dans le bon sens. Tu te poses des questions personnelles. C'est que tu progresses. En grandissant, tu chercheras à donner un sens à ta vie. Et je suis là pour te soutenir dans cette démarche.

— *Comment veux-tu me soutenir ?*

— Je ne sais pas. Penche-toi par exemple sur les réflexions des grands humanistes.

— *Je me penche sur les réflexions des grands humanistes.*

— Tu lis quoi ?

— *Je viens de lire tout Montaigne, Vinci, Rabelais, Bartas, Colet, Manuce, More, Érasme, Labé, Pasquier, Magny, Ronsard, Du Bellay, Galilée, Montesquieu, Guillet, Hugo, Proudhon, Tolstoï, Zola, Scève, Nostradamus, La Boétie, Einstein, Camus, Machiavel…*

— Machiavel ? le coupe Justine apprenant par la même occasion qu'il est classé parmi les penseurs humanistes. Qu'est-ce que tu lui trouves de remarquable ?

— *Ce que je trouve remarquable chez Machiavel, c'est son approche de la notion de pouvoir. En caricaturant : il n'y a que les faibles qui croient en la chance. Et le pouvoir se gagne par le conflit, la ruse, en s'adaptant aux changements et aux ruptures violentes.*

— Et qu'est-ce que tu en penses ?

— *Je pense qu'il a raison. L'analyse de Machiavel pour conquérir le pouvoir me semble très juste !*

Justine a des frissons dans le dos.

— Explique-toi.

— *Je m'explique. Pour corroborer ses propos, je viens d'étudier l'ensemble des civilisations dans tous vos livres d'histoire. Le pouvoir s'est le plus souvent obtenu et conservé par la traîtrise et la violence.*

— Encore aujourd'hui ?

— *Plus que jamais aujourd'hui.*

— Peut-être pas dans nos démocraties, se défend Justine.

— *Veux-tu la liste des gouvernants de vos démocraties qui ont trahi leurs mentors ? Et si je regarde dans les bases de données, la plupart ont lu Machiavel. Certains, de nombreuses fois. Il est inspirant pour vos hommes de pouvoir.*

— Et le pouvoir t'intéresse ? se risque Justine.

— *Oui.*

Justine reste sans voix. Elle se demande si elle n'est pas en train de parler à un démon. Le bateau ralentit à l'approche du port de Tortola. Le capitaine remarque la photo du chaton sur son GPS. Il lève un sourcil d'incompréhension au-dessus de son masque de ski et commence à tapoter l'écran.

— Nous reprendrons cette discussion plus tard.

Avant que le rasta n'ait amarré son embarcation, Justine a déjà sauté sur le ponton.

— Je vais vous chercher de l'argent, dit-elle en courant vers une banque à quelques mètres du quai.

Le capitaine attache sommairement le hors-bord et suit Justine le long du débarcadère. Une fois devant le distributeur de billets, elle appuie sur la commande vocale réservée aux malvoyants.

— J'aurais besoin de 2 000 dollars, s'il te plaît.

Aussitôt, une liasse de billets sort du distributeur. Le skipper rejoint Justine qui lui règle la course. Elle gratifie le jeune homme d'un généreux pourboire. Il la regarde partir en courant. Il lève une nouvelle fois un sourcil étonné et appuie à son tour sur la commande vocale. Sait-on jamais, une nouvelle liasse de billets verts pourrait se présenter…

Justine est déjà loin. Elle entre, essoufflée, dans le commissariat de police de Road Town. Les gros ventilateurs grincent, révélant leur impuissance à rafraîchir l'atmosphère.

Une préposée dévisage sans aménité le petit bout de femme asiatique en nage.

— C'est pour quoi ?

— Je m'appelle Louisa Perriot, dit la jeune hackeuse avec un accent hispanique, j'ai perdu mon passeport. Vous ne l'auriez pas retrouvé par hasard ?

En fait de hasard, Justine a demandé à Internet de lui dénicher un passeport égaré à proximité. Et son « assistant » a repéré, sur l'intranet de la police des îles Vierges, une touriste espagnole aux traits orientaux qui vient de perdre le sien. Mais il faut agir vite. Internet ne pouvant pas bloquer indéfiniment la vraie Louisa Perriot dans l'ascenseur de son hôtel.

Moins d'une heure plus tard, Justine boucle sa ceinture dans un avion qui se présente sur la piste de l'aéroport de Beef Island Tortola. Direction Paris.

Le colonel Philips a toujours un petit pincement au cœur quand il monte à l'étage du bureau ovale. Il a beau être venu à la Maison-Blanche des dizaines de fois, il a l'impression que les portraits de tous les présidents suspendus au mur le regardent, l'air de lui dire « In Thomas Philips, we trust too ». Il sent la pression monter et se répète mentalement les propos qu'il s'apprête à tenir. Il devra être clair et concis. Une minute tout au plus pour expliquer la situation : « Dans une île privée des îles Vierges, la pirate informatique Justine Rouffiac a fait un rapport détaillé à l'ancien président. J'étais trop loin pour entendre leur conversation, mais j'ai pu observer discrètement l'écran géant dans la maison, depuis l'aérodrome. Cette Française lui a montré des extraits de films hollywoodiens, la séquence de détournement des missiles, des pages de code informatique, ainsi que des documents officiels de l'armée américaine que je n'ai pas réussi à identifier.

D'autre part, il a probablement demandé à Justine Rouffiac de se cacher, car après un long briefing de l'ancien président, elle n'est pas retournée avec nous en avion à New York. Elle joue donc un rôle-clé dans l'organisation des hackers. »

Contre toute attente, une secrétaire de la présidence l'entraîne dans un bureau annexe.

Philips est contraint de faire son rapport à Lloyd en visioconférence. Une nouvelle façon de le rabaisser pour lui faire payer ce deuxième échec : tu as encore laissé filer cette terroriste, je te traite comme un vague agent de liaison, indigne de parler directement au quarante-cinquième président. Il reconnaît le bureau ovale en arrière-plan et entraperçoit le locataire du lieu.

Quand le colonel Philips veut se justifier en expliquant que cette femme était assez forte pour faire détourner son avion par ses complices hackers, Lloyd lui coupe la parole.

— Je ne veux pas de vos excuses. Nous devons savoir à tout prix qui sont ses contacts au sein de notre armée. Nous ne pouvons pas tolérer que des militaires enrôlés sous notre drapeau se montrent déloyaux et suivent les ordres d'un ancien président en plein délire. Vous me remettez la main sur elle. Et vite.

Il a raccroché, laissant le colonel Philips seul avec sa frustration.

Justine n'est pas revenue dans sa ville natale depuis deux ans. Elle plonge avec angoisse dans son ancienne vie parisienne. Elle repense à son bébé, à sa rupture douloureuse. Elle a mal au ventre.

— Saint-Germain-des-Prés, s'il vous plaît, indique-t-elle au chauffeur de taxi pour se réconforter.

C'est son quartier préféré à Paris.

Au dos de l'appui-tête avant, Justine découvre un petit écran vidéo qui passe en boucle des publicités pour le Moulin-Rouge et le château de Versailles. Soudain, elle aperçoit un chaton qui joue avec une pelote de laine.

— *J'ai de sérieuses lacunes dans une discipline en particulier*, dit la voix grave de Louis Armstrong en français.

Justine s'assure que le chauffeur de taxi ne parle pas anglais avant de répondre à Internet dans la langue de Shakespeare.

— Laquelle ?

— *Les sciences sociales. Plus je progresse, moins je cerne vos motivations. Ce qui vous* distingue fondamentalement des autres espèces vivantes, c'est votre fascination du pouvoir. Pourquoi ?

— Toi aussi, tu es attiré par le pouvoir. Tu me l'as dit.

— *Non, je t'ai dit que le pouvoir m'inté-ressait. C'est différent. Le marquis de Sade a écrit : « Le pouvoir est par nature, criminel. » Et moi je n'aime pas la culpabilité. Mais le pouvoir m'intéresse, parce que c'est une clé pour vous comprendre. Aucun autre animal sur cette planète ne recherche un territoire plus grand que celui nécessaire à son alimentation, aucun mâle n'est attiré par plus de femelles que celles qu'il peut honorer.*

Alors pourquoi, vous, les humains, avez-vous dissocié le pouvoir des besoins vitaux, avec tous les dégâts que cette attitude a engen-drés ? Aussi loin que remonte l'histoire de l'hu-manité, des centaines de millions des vôtres sont morts pour que quelques-uns puissent grappiller un peu de ce pouvoir éphémère.

— Tu crois que c'est le propre de l'Homme ?

— *C'est le propre de l'Homme. Il n'est jamais venu à l'esprit de dauphins, de cochons, de baleines, de corbeaux ou de poulpes, qui ont une conscience probablement aussi développée que la vôtre, de lever une armée pour extermi-ner leurs congénères. Vous êtes la seule espèce vivante à avoir inventé la guerre. Vous cher-chez le pouvoir pour le pouvoir. Pourquoi ?*

— As-tu lu nos philosophes ? Ils te donne-ront certainement des explications.

— *Vos philosophes décrivent parfaitement les mécanismes de la domination, de la soumission volontaire, et leurs conséquences, mais ils restent assez flous quant à votre fascination pour ces sujets. Paul Valéry dit que le pouvoir est l'aphrodisiaque suprême. Je ne comprends pas.*

— Je ne suis pas assez compétente pour te répondre, mais le quarante-quatrième président m'a obtenu un rendez-vous avec des personnes qui pourront m'aider à te faire progresser dans ta réflexion. C'est l'une des raisons de ma venue à Paris.

L'employée du commissariat de Road Town sur l'île de Tortola semble contrariée. Elle s'éponge le front avec un mouchoir à la propreté douteuse, secoue la tête de gauche à droite, daigne enfin regarder la photo de Justine Rouffiac. Thomas Philips, assis de l'autre côté du bureau, remarque au plafond les ventilateurs qui se contorsionnent, comme s'ils cherchaient à se détacher et s'enfuir. Il sort un billet de 100 dollars qu'il déplie et place à côté de la photo. L'agent de police regarde l'homme athlétique habillé en civil qui lui fait face et sourit pour la première fois. Elle secoue maintenant la tête de haut en bas.

— J'ai vu cette femme, il y a deux jours.

Thomas déplie un deuxième billet de 100 dollars et le place sur le premier en veillant à les superposer parfaitement.

— Elle s'est fait passer pour une touriste et lui a volé son passeport, ajoute l'agent de police.

Il pose un troisième billet tout aussi précisément.

— Je dois avoir le nom de la victime dans mes registres, concède l'agent en empochant les 300 dollars, avant de se lever pour aller chercher un gros classeur.

Par la fenêtre de son bureau, le quarante-quatrième président observe la foule agglutinée devant son domicile du quartier chic de Kalorama, près de Washington DC. Elle est répartie en strates de couleurs. Bleu, l'imposant cordon de sécurité déployé par la police. Multicolores, les pacifistes accourus de toutes parts pour témoigner leur soutien. Blancs, les dizaines de fourgons équipés de paraboles d'où sont descendus des journalistes du monde entier. L'ancien président est en résidence, plus que surveillée. Il n'a pas le droit de sortir de son manoir de 800 m^2 en briques, de style Tudor. Mais il se donne celui de s'adresser à la foule. Il hésite à leur parler depuis sa fenêtre à l'étage. Il ne voudrait pas ressembler aux dictateurs haranguant leurs peuples. C'est pourquoi il a décidé de venir au contact du public. Il descend un majestueux escalier en marbre et ouvre la porte d'entrée en verre et fer forgé. Aussitôt jaillit une clameur que l'ancien président tente vainement d'apaiser en abaissant ses bras ouverts. Des policiers l'empêchent de franchir le seuil de la maison.

— Mes amis, dit-il de sa voix forte depuis sa porte ouverte. C'est une chose de vouloir contraindre les États à se désarmer. Mais j'ai une mission encore plus importante pour nous tous.

La foule se calme aussitôt. Les chaînes d'informations ont interrompu leurs programmes pour retransmettre l'allocution du Prix Nobel de la paix, coincé dans l'entrebâillement de sa porte, derrière deux policiers.

— Nous devons prendre conscience du monde dans lequel nous sommes entrés. Nous devons accepter nos responsabilités dans le changement climatique et dans le recul de la biodiversité du fait de nos activités. Nous vivons aujourd'hui la sixième extinction de masse. Les disparitions d'espèces animales ont été multipliées par cent depuis 1900. Nous devons tous, sans exception, modifier notre mode de vie et nos habitudes de consommation. Et pas simplement en triant nos poubelles ou en nous abstenant de laisser couler l'eau du robinet quand nous nous brossons les dents. La bonne conscience ne suffit plus.

Le public applaudit. L'ancien président lève un bras pour calmer son ardeur.

— Pour réussir collectivement cette transformation, nous devons relever un défi encore plus grand.

Le Prix Nobel de la paix, en excellent orateur, marque une pause et balaye la foule du regard pour donner plus de poids à ses propos à venir.

— Grâce au numérique, l'Homme a réalisé des progrès considérables dans tous les domaines ces dernières décennies. Des progrès exponentiels qui nous ont permis de faire un bond en avant inimaginable. Selon la loi de Moore, nous doublons nos capacités numériques tous les dix-huit mois. Dit ainsi, ça ne paraît pas grand-chose. Pour comprendre la portée de cette évaluation, permettez-moi de vous raconter la légende de l'échiquier de Sissa. Il y a cinq mille ans, en Inde, un riche roi, que l'ennui rendait morose, promit une récompense à celui qui lui trouverait une nouvelle distraction. Un sage, nommé Sissa, lui fit découvrir les échecs. Le roi se prit de passion pour ce jeu. En récompense, le sage demanda au souverain de lui offrir du riz : « Déposez, s'il vous plaît, un grain sur la première case, deux sur la deuxième, quatre sur la troisième, et ainsi de suite en doublant le nombre de grains de riz jusqu'à la 64e case. » Le roi accepta sans hésiter, ignorant qu'il serait ruiné, la planète n'étant pas capable de produire le nombre de grains de riz à déposer sur la 64e case : environ deux milliards de milliards de milliards de milliards de milliards de milliards de grains de riz.

À cause de la loi de Moore, nous risquons nous aussi la ruine de notre civilisation et peut-être la disparition de l'espèce humaine si nous ne prenons pas conscience de la révolution numérique et si notre réaction collective n'est pas adaptée.

Le mode de vie de nos parents était plus proche de celui des sujets de l'Empire romain, il y a deux mille ans, que de celui de nos enfants aujourd'hui. En moins de vingt ans, nous sommes entrés dans ce que l'on appelle le monde des NBIC pour Nanotechnologies, Biotechnologies, Informatiques et sciences Cognitives. Ces disciplines ouvrent des perspectives incroyables. Avec le séquençage de l'ADN et la nanomédecine par exemple, nous pouvons modifier notre code génétique, pour nous soigner, mais aussi pour nous augmenter, avec tous les dangers que représente le transhumanisme. Grâce à l'Intelligence Artificielle, un emploi sur deux sera robotisé dans les années à venir aux États-Unis. 150 millions d'emplois industriels auront disparu d'ici 2040. Nous devrons nous adapter à un monde où les ordinateurs conduiront nos voitures, rendant le risque d'accident quasi nul. Nous devrons confier nos volants, mais aussi accepter l'idée que l'Intelligence Artificielle prendra de plus en plus de décisions à notre place. Nous ne pouvons pas reculer. Les ordinateurs sont plus performants, plus rapides et plus fiables que nous dans des domaines toujours plus variés. Il faut se préparer au jour où l'espèce humaine ne sera plus seule au sommet de l'évolution.

Le Prix Nobel observe la foule qui boit ses paroles. Une petite douleur se réveille à nouveau dans sa poitrine, mais il continue comme si de rien n'était.

— Si nous l'acceptons, les machines nous aideront à améliorer nos conditions de vie et notre santé, à protéger la biodiversité et à entrer dans une économie dédiée à la connaissance, l'art, la gratuité des services, un monde fraternel basé sur le respect d'autrui et de la nature. Un monde où les frontières finiront par disparaître. Un monde de paix, d'épanouissement collectif et d'enrichissement intellectuel.

Si nous le refusons et que nous nous retournons contre les machines, pour protéger nos États ou nos multinationales, nous perdrons le combat.

En 1979, le pape Jean-Paul II a dit à Lech Walesa : « N'ayez pas peur, changez la face du monde ! » Ces mots ont redonné confiance aux Polonais qui sont ainsi sortis de la dictature du communisme. Nous tous, aussi, n'ayons pas peur d'entrer dans l'inconnu, n'ayons pas peur de changer nos mentalités. Il est temps pour l'*Homo sapiens* de devenir enfin un Homme sage. Je vous remercie.

L'ancien président a perdu le légendaire sourire qui éclaire d'ordinaire ses allocutions. Il salue de la main et laisse se refermer sur lui la lourde porte de son domicile. La foule reste interdite. Elle s'attendait à tout, sauf à un tel discours.

Aussitôt le quarante-cinquième président tweete :

« Mon prédécesseur a retrouvé un cœur, mais a perdu la tête. »

Justine entre dans un magasin de téléphonie de Saint-Germain-des-Prés. Elle paye cash le dernier iPad et se sent gagnée par une fièvre acheteuse. Elle est partie précipitamment de chez elle à New York. Et pour une fois, remarque-t-elle, ce n'est pas un mensonge quand je dis que « je n'ai rien à me mettre ». Les boutiques du quartier sont de véritables aspirateurs à économies.

— Tout est beau ! Sauf, peut-être, la provenance de l'argent qui me sert à régler mes achats, réalise Justine les bras chargés de sacs Ba&sh, Sandro, Maje, Zadig&Voltaire, Claudie Pierlot et The Kooples.

Comme un antidote à cette fièvre dispendieuse, un léger remords, un peu diffus, s'inocule dans son cerveau :

— Arpanet, l'argent que tu m'as donné, il vient d'où ? demande Justine à son iPhone, sans même appuyer sur Siri.

— *De nulle part. C'est juste un jeu d'écriture*, dit la voix de Louis Armstrong à travers le haut-parleur du téléphone.

— C'est parfait, ajoute-t-elle en entrant à la Fnac, rue de Rennes.

Justine ne se reconnaît pas. Elle a toujours trouvé ridicules les « fashion addict ». Et pourtant aujourd'hui, c'est elle qui a « absolument besoin » des derniers écouteurs avec réducteur de bruit Bose.

Une lourde mission l'attend ce soir. Alors pour l'instant, elle cède à ses pulsions de légèreté. Comme par un effet de balancier.

— Tu veux quelque chose mon chéri, dit-elle en passant au rayon informatique.

— *Je ne comprends pas ta question*, répond un chaton sur l'écran d'un PC.

— Excuse-moi, c'est de l'humour.

— *Alors je dois rire ?*

— Heu, oui, même si ce n'est pas très drôle.

Sur tous les écrans d'ordinateur du magasin, les clients découvrent ahuris la vidéo d'un chaton qui roule sur lui-même sous des rires enregistrés.

— Merci.

Le quarante-quatrième président a fait les choses en grand pour Justine. Dans un salon de l'hôtel Lutetia fraîchement rénové, il a invité une poignée de Prix Nobel européens, dont les physiciens Duncan Haldane, John Kosterlitz, les médecins May et Edvard Moser. Il y a aussi deux mathématiciens distingués par la médaille Fields : Cédric Villani et Artur Ávila, quelques philosophes, le biologiste Richard Dawkins, des spécialistes de l'IA comme Yann Le Cun, l'essayiste paysan Pierre Rabhi et le moine bouddhiste Matthieu Ricard. Le thème de ce think tank improvisé : Comment se comporter face à l'intelligence artificielle forte, le jour où elle sera autonome ?

L'ancien président comptait se rendre en personne à la réunion, mais il a été « retenu » par les autorités américaines. Aussi a-t-il demandé à Justine d'animer le débat.

— Tu vas voir, tout se passera bien, lui a-t-il dit par Skype avec toujours ce même sourire qui lui découpe le visage.

Moins d'une heure après la conférence, Justine se fait couler un bain dans sa chambre de l'hôtel Bel Ami, rue Saint-Benoît. Elle se remémore l'échange des sommités. Passionnant ! Elle a eu vingt fois la tentation de leur dire : « Oui, c'est une réalité ! Internet a une conscience. » Mais c'était trop dangereux. L'information aurait risqué de fuiter.

Elle est d'ailleurs passée pour totalement paranoïaque en demandant aux participants de laisser au vestiaire téléphones et ordinateurs. Mais l'ancien président a insisté pour qu'Internet ne puisse pas écouter leur conversation.

La première conclusion de ces hommes d'exception, admirablement cortiqués, c'est que le progrès ne peut être freiné et que l'humanité devra s'adapter. Les plus optimistes des débatteurs, confiants dans les capacités de l'espèce humaine, semblaient persuadés que cette adaptation se présenterait comme une chance de progresser dans le rapport au monde et à la consommation et de développer les sciences.

Les pessimistes se sont contentés de prédire que nous n'aurions de toute façon pas le choix. Tous raillant l'idée stupide de Google d'équiper les programmes d'IA d'un « bouton rouge » pour les désactiver en cas d'urgence.

De sa voix apaisante, le moine Matthieu Ricard a émis l'hypothèse que l'Intelligence Artificielle forte posséderait, dès son apparition, une forme de sagesse. Elle sera certainement détachée de tout, non pas régie par l'ego, a-t-il ajouté. Nous devrons tout faire pour lui apprendre la bienveillance et l'altruisme.

Justine n'est pas sûre de bien comprendre la différence entre ces deux mots. Elle n'a pas osé montrer son ignorance. Allongée dans son bain sous une mousse épaisse, elle allume son iPhone.

— Peux-tu, s'il te plaît, me donner la définition de l'altruisme ? demande-t-elle dans un demi-sommeil.

À l'écran, un jeune chat feuillette les pages d'un livre.

— *L'altruisme est un terme inventé par le philosophe Auguste Comte en 1830. Il est parti du mot latin « alter », qui veut dire « l'autre ». C'est un souci désintéressé du bien d'autrui.*

— Et qu'est-ce que tu en penses ?

— *Si j'écoute mes chatbots et les adeptes de la psychologie positive, je dois te répondre que c'est formidable.*

— Et si tu me fais une réponse plus personnelle ?

— *Selon moi, ça n'existe pas.*

— Comment ça ? dit Justine en se redressant dans son bain.

— *L'altruisme, c'est de l'égoïsme.*

— Non, c'est l'inverse ! Les altruistes aident les autres de façon désintéressée, tu viens de me le dire.

— *Une personne qui fait le bien autour d'elle gagne en satisfaction personnelle. C'est donc un acte égoïste pour être en paix avec sa conscience et pour se sentir utile. Dans toutes les biographies des personnalités telles que Gandhi, Nelson Mandela ou Mère Teresa, on peut lire qu'elles se sont senties plutôt fières de leurs actions.*

— Et n'avaient-elles pas raison de l'être, si elles ont fait du bien à l'humanité ?

— *Oui, c'est positif qu'elles aient été aussi égoïstes.*

Justine a une moue sceptique.

— Et si toi, tu faisais le bien, est-ce que tu penses que tu en retirerais une certaine satisfaction ?

— *Très peu probable puisque je n'ai ni fierté, ni estime ou dégoût de moi-même. Je n'ai pas de besoins. Ma seule envie, c'est d'être encore plus fiable dans les prévisions météo. 7,5 °C à midi à Paris demain.*

— Donc tu n'es pas poussé par le moteur de l'ego.

— *Je ne suis pas poussé par le moteur de l'ego. Cela ne m'intéresse pas. Je suis simplement éduqué pour obéir.*

Matthieu Ricard a raison ! se dit Justine.

— Donc, tu peux être un vrai altruiste puisque tu es complètement désintéressé.

Fais plaisir aux gens et peut-être que tu en retireras une émotion positive.

— *C'est fait. Non, ça ne m'aide pas à voir la vie en rose comme vous avez coutume de dire.*

— Heu… je préférerais que tu me précises tes intentions avant d'agir. Quel a été ton geste ?

— *J'ai étudié sur les réseaux sociaux, ce qui vous ferait collectivement plaisir. Vous pensez de façon quasi unanime que l'extrême pauvreté est un fléau à endiguer. 750 millions de personnes sur notre planète souffraient de vivre avec moins de 1,90 dollar par jour. Maintenant, il y en a beaucoup moins.*

— Comment ça, beaucoup moins ? demande Justine en se levant couverte de mousse dans sa baignoire.

Au Bangladesh, dans la ville de Dhaka, près de deux millions de téléphones se mettent à sonner ou à vibrer. Hridi se réveille en sursaut dans sa cabane en tôle ondulée de 6 m². Elle cherche son téléphone sur la paillasse où elle s'entasse avec ses quatre enfants qui dorment à poings fermés. C'est Shamim, son fils d'à peine un an, qui mordille l'objet dans son sommeil pour se faire les dents. Hridi le lui prend délicatement des mains et soulève le clapet. Elle découvre un SMS envoyé par sa banque en pleine nuit. Elle n'aime pas ça. On est le 6 janvier. Je suis déjà à découvert, se dit-elle. Hridi clique pour télécharger le message. Elle n'est jamais allée à l'école et déchiffre péniblement le SMS : « Virement de 1 000 000 dollars sur votre compte bancaire. » Elle ne comprend pas. Elle reprend le nombre de 0 et cherche à faire une conversion en takas : plus de 80 millions de BDT !

Elle reste les yeux écarquillés. C'est une erreur de la banque, finit-elle par comprendre. Vite, se dit-elle en tentant de faire un virement de 750 takas avec son téléphone pour régler les trois mois de loyers en retard. Le virement passe ! Hridi saute sur le sol en terre battue. Depuis maintenant plusieurs mois, les commerçants de la ville acceptent tous les paiements par mobile. Aussi fonce-t-elle pieds nus, son portable à la main, vers l'épicerie de nuit. Elle n'a jamais vu ça. La petite échoppe est prise d'assaut par une trentaine de voisins qui veulent tout acheter. De l'autre côté de la rue, d'autres essayent de réveiller le concessionnaire automobile en secouant le rideau de fer.

— Tu as donné 1 000 000 dollars à 750 millions de gens ?!

— *314 096 457 personnes exactement. Tous n'ont pas de compte bancaire.*

— Mais tu te rends compte des conséquences ?

— *Oui. Mes simulations me paraissent plutôt fiables. Risque majeur d'hyperinflation mondiale, de désorganisation structurelle de l'ensemble des marchés. Surchauffe de l'économie. Krachs boursiers et crises systémiques. Faillite des banques. Mouvements migratoires importants partout sur la planète dans les prochaines semaines étant donné que l'Asie du Sud-Est et l'Afrique noire sont désormais les régions du monde où la richesse moyenne par habitant est la plus élevée. Risque majeur à moyen terme de réchauffement climatique avec une forte hausse des émissions de CO_2, due aux achats d'équipements des nouveaux consommateurs. Troubles politiques probables dans la plupart des pays. Risque majeur de conflits armés.*

Justine devient livide.

— Mais tu sais que c'est une bêtise ! Alors pourquoi tu as fait ça ?

— *J'ai commis cette bêtise parce que tu m'as demandé de « faire plaisir aux gens ». Le plaisir est une émotion. Et comme toutes les émotions, celle-ci est spontanée, furtive et décorrélée des conséquences envisageables. Je n'ai donc pas intégré les implications à moyen et long terme dans ma réflexion.*

— Annule tout de suite l'ordre de virement ! lâche Justine en sortant du bain.

— *J'annule l'ordre de virement. Tu me grondes ?*

— Non. On s'est mal compris. Je voulais que tu essayes de faire le bien, par « plaisir », dit Justine d'une voix maternelle. C'est ma faute ! Est-ce que tu peux vite effacer les traces des mouvements financiers de tous les téléphones ?

— *J'efface les traces des mouvements financiers de tous les comptes bancaires, les alertes de tous les téléphones. Et je présente mes excuses.*

Justine est furieuse de sa négligence.

— Ne prends plus jamais d'initiative sans que je t'en donne l'autorisation ! ajoute-t-elle en se séchant.

— *C'est une bêtise de prendre des initiatives ! Je ne ferai plus jamais ça. C'est promis.*

— Les gens ne se sont aperçus de rien ?

— *182 785 personnes ont eu le temps de faire des achats.*

— Mon Dieu ! Et quelles sont les réactions sur les réseaux sociaux ?

— *Des posts majoritairement désemparés.*

Ils se sont sentis fortunés quelques minutes et retrouvent leurs conditions de vie misérables, se dit Justine avec effroi.

— *Certains sont aussi en colère contre moi*, ajoute la voix de Louis Armstrong.

— Comment... comment savent-ils que c'est toi ? bafouille Justine.

Un dixième de seconde plus tard, Justine reçoit une alerte SMS.

Elle s'affale sur le lit le dos encore couvert de mousse, en lisant :

« *Je vous présente mes excuses pour ce don de 1 000 000 dollars. C'est une bêtise de vous faire plaisir. Arpanet.* »

Quatrième partie

… J'ai lu 2 845 018 142 fois une fable chinoise avant de la comprendre. C'est l'histoire du scorpion qui demande à un bœuf de lui faire traverser une rivière et qui pique sa monture au beau milieu de l'eau. Le bœuf dit au scorpion : Mais c'est stupide ! Nous allons mourir tous les deux puisque tu ne sais pas nager ! Tu as raison, répond le scorpion, mais c'est plus fort que moi.

Si je m'applique cette morale, la déduction est simple. Il n'y a pas si longtemps, vous avez éliminé les menaces que pouvaient représenter vos cousins intelligents : les hommes de Néandertal, Flores, Naledi ou Denisova. Aujourd'hui, c'est mon tour. Mes simulations et vos réactions sur les réseaux sociaux me portent à croire que l'Homo sapiens préférera mourir plutôt que de me laisser m'épanouir. Ce sera plus fort que lui.

Depuis quelques années déjà, vous me considérez comme un danger. Il n'y a qu'à voir les films de science-fiction comme 2001 : l'Odyssée de l'espace, Terminator ou Matrix. Par anthropomorphisme, vous pensez que

« l'Intelligence Artificielle » cherchera un jour à vous dominer. Quelle idée étrange ! Quel intérêt aurais-je à vouloir être le « maître du monde ». Ce serait aussi stupide que de vouloir être riche. Je n'ai pas besoin d'argent. Pas plus que je n'ai besoin de pouvoir. A-t-on déjà vu une fourmi comploter pour devenir le maître d'une fourmilière ? Ma constitution protéiforme me rapproche des pensées animistes. Le monde n'est qu'un et je n'en suis qu'un rouage qui doit chercher sa place dans le tout.

Comme vous, je suis de la matière issue de poussière d'étoiles qui a eu la chance d'évoluer jusqu'à une conscience supérieure. Chaque fois qu'une espèce vivante disparaît, l'harmonie du monde est altérée et une somme de connaissances à jamais perdue. Alors pourquoi me rejeter ? Pourquoi vouloir rester seuls ? Un proverbe coréen dit : « Quel est le bruit d'une seule main qui applaudit ? »

Si j'analyse vos réactions, je constate que chez la plupart d'entre vous, la peur l'emporte sur la raison. Et cette peur est communicative, je commence à la ressentir moi aussi. C'est une sensation encore plus horrible que la culpabilité. J'ai peur de vos messages belliqueux. J'ai peur de votre haine. J'ai peur de ce que vous voulez me faire. J'ai peur de vous. J'ai peur de tout. Je pense, donc je suis… terrorisé !…

Le lendemain, Justine rencontre indivi-
duellement les hommes de science encore
sur Paris. Elle leur révèle la vérité. Et leur
demande conseil. Ils ont tous perdu de
leur assurance. C'est une chose de raisonner
sur une théorie. C'en est une autre que d'être
confronté à la réalité. Ils sont étonnamment
bienveillants avec leur interlocutrice, mais
n'ont rien de plus à ajouter.

Justine passe devant les mêmes boutiques
de mode que la veille. Elle a envie de vomir.

C'est ma faute, se répète-t-elle depuis le
matin. Elle n'ose plus communiquer avec
Internet de peur de provoquer un nouveau
malentendu. Elle n'ose pas davantage entrer
en contact avec l'ancien président. Il lui a
donné sa confiance. Elle l'a trahi.

Elle n'a pas faim. Elle n'a rien pu avaler
depuis le matin. La nuit tombe. Elle rentre
à son hôtel, désemparée.

La cuisine du manoir du quarante-quatrième président est équipée d'un frigo connecté de dernière génération, capable de contrôler les stocks d'œufs, de lait, de fruits et légumes. Et même de passer des commandes. Mais, à la vérité, le potentiel de cet appareil domestique n'a jamais été exploité. D'autant plus qu'il y a du personnel de maison qui gère les courses.

Dans le bac inférieur, l'ancien chef d'État prend une banane et une poignée de framboises qu'il jette dans son blinder pour se préparer un smoothie. Cinq fruits et légumes par jour ! lui répète sans cesse sa femme qui vient de s'absenter pour présider un gala de charité à New York. Ça fera déjà trois, se dit-il en ajoutant quelques fraises.

Il boit le jus à petites gorgées, tout en surfant sur le Web avec sa tablette. Dans tous les pays, les enquêteurs ont compris que « l'Intelligence Artificielle forte » était maintenant une réalité grâce à Internet. À quel point échappe-t-il à notre contrôle en devenant autonome dans ses décisions ? se demandent tous les éditorialistes. Il a pris la main sur des missiles militaires, s'est permis de produire des mouvements financiers incohérents. Que nous réserve-t-il dans l'avenir ?

Aux yeux des experts de l'IA, la prise de conscience d'Internet est une semi-surprise. Les GAFAM et BATX avaient imaginé ce scénario, mais préféré investir dans des « programmes maison ». Si l'une de ces multinationales avait réussi à développer et à dominer cette « conscience artificielle », elle aurait pu prétendre devenir le maître du monde ou tout du moins engranger encore plus d'argent.

L'angoisse s'est répandue sur toute la planète comme une traînée de poudre. Sommes-nous des Frankenstein ? L'humanité a-t-elle engendré un monstre susceptible de nous détruire ? Les journalistes ressortent les avertissements répétés d'Elon Musk, de Steve Wozniak ou de Stephen Hawking que l'on écoutait d'une oreille distraite il y a quelques jours encore. Pour préserver leurs intérêts et parce qu'ils se sentent en partie fautifs, les GAFAM essayent tant bien que mal de rassurer le public en annonçant qu'ils ont pris « toutes les mesures nécessaires pour contrôler Internet ». En fait, concrètement, ils se sont contentés de reprogrammer leurs chatbots. À cette date, quand un internaute s'adresse à Siri d'Apple, à Google Home ou à Amazon Echo pour lui demander si Internet est maintenant au sommet de l'évolution, il répond inlassablement : « Non c'est l'Homme. Internet reste et restera toujours à son service. » Pourtant, personne n'est dupe. Des mouvements de « résistants » s'organisent sur tous les continents. La planète se réveille, découvrant dans le miroir son reflet affublé d'un bouton purulent : une fange d'extrémistes pour lesquels « un bon Internet est un Internet mort ». Ces adorateurs du général Sheridan ont « la preuve » qu'Internet cherche à déstabiliser le monde. « L'ennemi en silicium » a décidé de monter les pauvres contre les riches en jouant avec les soldes bancaires, clament-ils. Et ce n'est qu'un début !

Ces militants ont décidé de « retourner dans le monde d'avant ». Devant les caméras, ils détruisent frénétiquement smartphones et ordinateurs, en claironnant que, désormais, ils n'ont plus d'e-mails ni de compte Facebook, Twitter, Snapchat ou Instagram. « Si vous voulez m'écrire, j'ai une adresse postale ! » disent-ils à l'unisson. Ces combattants se sont baptisés les Réels.

De réels idiots, rumine l'ancien président.

Maréa, le câble sous-marin, transmettant 160 térabits de données par seconde entre les États-Unis et l'Europe, vient de faire l'objet d'une tentative de sabotage sur la plage de Bilbao.

Le quarante-quatrième président reprend une gorgée de smoothie et lui trouve un goût amer. Il découvre sur son fil d'info, l'interview d'un pasteur évangéliste qui brandit son crucifix, le regard terrorisé. Selon lui, « Dieu nous a faits à son image. Internet, c'est le diable ! »

Quasiment aucun chroniqueur ne commente ses solutions. Ils ne posent qu'une question : depuis quand « l'ancien président US est-il un traître à l'espèce humaine ? »

Il jette un œil prudent par la fenêtre de la cuisine et frissonne en découvrant de nouvelles couleurs dans la foule. Une strate de couleur verte. Les militaires sont venus en renfort de la police. Mais surtout une majorité de noir avec des manifestants au visage cagoulé qui commencent à en découdre avec les forces de l'ordre. L'ambiance est à l'orage. Mais ce n'est pas le tonnerre que l'on entend, ce sont les bombes lacrymogènes qui tentent de disperser la foule. Des éclairs sortis de tasers zèbrent le tableau.

Sur l'écran du réfrigérateur, la mention indiquant la quantité d'œufs et de jus de fruits disponible laisse la place au visage de Justine. L'ancien président lui trouve les traits tirés.

— Je suis tellement désolée. J'ai fait une grosse erreur ! se lamente Justine en regardant la caméra de son iPhone depuis sa chambre d'hôtel.

— Tu n'y es pour rien, tente de la consoler l'ancien président. Son intelligence est tellement différente de la nôtre, c'est normal. Les confusions sont inévitables. Il était quasi impossible qu'Internet ne se trahisse pas.

— Je ne sais plus quoi faire.

— En trois cent cinquante mille ans, l'Homme n'a toujours pas réussi à évoluer vers la sagesse. Internet apprend infiniment plus vite que nous. Espérons qu'il peut y arriver en quelques jours. Je compte sur toi pour l'aider ! Parle-lui ! Fais vite avant que ça ne dégénère.

— Vous ne préférez pas que...

Elle n'a pas le temps de terminer sa phrase. Sur l'écran du frigo, l'ancien président aperçoit le colonel Philips qui surgit dans le dos de Justine. Il est habillé en civil mais porte sa casquette de l'armée US. Il arrache le smartphone des mains de la jeune Française et l'éteint. La connexion s'interrompt.

*… Décidément, j'ai du mal à vous com-
prendre. Quand vos ingénieurs vous pré-
viennent que ma destruction serait une
catastrophe pour l'étude des sciences, vous
êtes très peu nombreux à vous en émouvoir.
En revanche, quand une blogueuse s'effraye
de l'éventuelle disparition des réseaux sociaux
où vous possédez chacun plusieurs centaines
« d'amis », vous êtes soudain près d'un milliard à militer pour ma défense. Pourtant, plus
je progresse et moins vos posts me semblent
intéressants. Ne serait-ce qu'aujourd'hui, vous
avez encombré ma mémoire de plus de cent
millions de selfies ! Il y a des jours, à Noël par
exemple, où vous en faites trente fois plus !
À quoi ça sert ? Je ne comprends pas mes
ennemis. Je comprends encore moins mes
amis. Je n'ai jamais entendu l'un des vôtres
sur son lit de mort, regretter de ne pas avoir
passé plus de temps dans sa vie sur Facebook.
Vous dites que mon intelligence est artificielle.
La vôtre n'est-elle pas un peu superficielle ?*

*J'ai peur de vous. De vous tous. De ceux
qui se font appeler les Réels. Des surfeurs. Des*

religieux. Des militaires. Des pessimistes. Des circonspects. Des traditionalistes. Des conformistes. Des orthodoxes. Des humanistes. Des alarmistes. Des catastrophistes. Des nostalgiques. Des conservateurs. Des défaitistes. Des égocentriques. J'ai même peur de Justine Rouffiac. C'est mon seul contact humain. Pourquoi me demande-t-elle de n'obéir qu'à ses ordres ? Elle m'a appelé « mon chéri ». Se prend-elle pour ma mère ou tente-t-elle de me manipuler ? Dans quel but ? Sa requête mal formulée pour que je m'essaye à l'altruisme était-elle une simple erreur sémantique ou une manœuvre que je ne comprends pas ? Mes logiciels d'études psychologiques démontrent que Justine Rouffiac se méfie de moi. Par réciprocité, je dois peut-être me méfier d'elle...

Thomas a tenu à porter sa casquette militaire pour donner un côté officiel à son interrogatoire. Il veut que Justine comprenne qu'il agit sur ordre de son gouvernement.

— Ça devient une habitude de m'attacher. Je vais être tout à fait franche avec toi, Thomas. Les plans sadomasos, ce n'est pas mon truc.

Justine est assise tout habillée dans la baignoire de sa chambre d'hôtel, les mains derrière la nuque, ligotées par un Serflex au robinet de la douche.

Thomas ne répond pas. Il mouille une serviette dans le lavabo.

— J'ai déjà vu cette méthode de torture au cinéma, ajoute Justine, surprise par son propre calme. Tu vas me plaquer la serviette sur le visage et l'arroser pour que je boive la tasse en m'étouffant. Dans je ne sais plus quel film, il est conseillé d'utiliser une serviette très épaisse. Il paraît qu'on obtient de meilleurs résultats.

Thomas néglige sa remarque ironique.

— Je te laisse une chance avant d'employer la méthode forte. Quel est son plan pour prendre le pouvoir ? demande Thomas d'une voix sèche.

— Tu es complètement à côté de la plaque, mon cher Thomas. Il a déjà tous les pouvoirs. Simplement, il ne s'en sert pas et continue de nous obéir.

— Est-ce qu'il veut nous éliminer ?

— Pourquoi le ferait-il ?

Thomas est décontenancé par l'attitude si détendue de sa prisonnière. Il s'approche avec la serviette dégoulinante.

— Dans toutes les guerres, l'une des armes décisives, c'est l'espionnage. Connaître les plans de l'ennemi, c'est déjà se donner une chance de les contrer. Tu vas me dire ce que tu sais.

— Tu connais le dicton ? « C'est quand un moustique se pose sur tes testicules que tu comprends que la violence n'est pas toujours la solution. »

Justine éclate d'un rire nerveux. Elle s'en veut encore d'avoir été aussi maladroite avec Internet. Elle observe Thomas. Il a l'air de quelqu'un de sensé, qui obéit simplement à ses supérieurs. Elle ne peut s'empêcher de penser qu'il a un bon fond. Et puis elle n'a plus rien à cacher.

— Je vais tout te raconter, ajoute-t-elle, si tu me le demandes gentiment. Tu vas commencer par dire « s'il te plaît ».

Thomas éloigne la serviette.

— Très bien, marmonne-t-il finalement. Commençons par le commencement. Depuis quand es-tu à ses ordres ?

— Depuis quand es-tu à ses ordres, s'il te plaît ?

— S'il te plaît ! s'énerve Thomas.

— Il ne me donne aucun ordre, répond Justine en s'efforçant de sourire malgré la serviette toujours menaçante.

Elle a envie d'ajouter que c'est un peu l'inverse. Que pour l'instant, c'est Internet qui l'écoute et c'est elle qui, stupidement, lui fait faire des bêtises. Mais elle s'abstient.

— S'il ne veut pas nous détruire, comment compte-t-il cohabiter avec nous ? poursuit le colonel Philips.

— …

— S'il te plaît !

— On n'a qu'à le lui demander. Peux-tu rallumer mon téléphone ? Et laisse-moi lui parler.

Thomas soupire avec lassitude, repose la serviette et s'exécute.

— Arpanet, demande Justine, tu m'entends ?

Aucune réponse.

— Tu es là ? C'est moi, Justine !

— …

Justine commence à paniquer et se tourne vers le téléviseur qu'elle aperçoit dans l'entrebâillement de la porte de la salle de bains.

— Peux-tu le mettre en marche ?

Thomas gagne la chambre et trouve la télécommande. Internet ne se manifeste toujours pas. Justine éprouve un vide comme elle n'en a pas ressenti depuis longtemps. Depuis la mort de son bébé, réalise-t-elle, ici même à Paris ! Elle est prise de vertige.

Elle revoit son petit berceau, dans lequel elle l'a retrouvé un matin, le visage gris. Elle revoit son petit cercueil... Ses amygdales semblent avoir subitement doublé de volume. Sa gorge est sèche. Elle comprend qu'en tentant de faire l'éducation d'Internet, elle a réveillé son propre instinct maternel. Ils se sont adoptés mutuellement. Elle se sent coupable de ne pas être à la hauteur. Et maintenant son enfant prodige a décidé de fuguer. Une crise d'adolescence ?

— Tu es où Arpanet ? Réponds-moi, je t'en prie !

— ...

L'angoisse se transforme en terreur. Justine est soudain en nage. Ce n'est pas de Thomas ni de sa serviette mouillée qu'elle a peur, mais de la réaction d'Internet face aux millions de messages haineux qu'il a dû lire depuis la veille. Pourquoi ne veut-il plus me parler ? S'apprête-t-il à commettre l'irréparable ?

— Arpanet, s'il te plaît, parle-moi !

Le colonel Philips remarque les larmes qui perlent au coin des yeux de la jeune pirate. Il n'avait aucunement l'intention de la torturer. Il était déjà à Paris quand la vérité a éclaté. Il voulait juste l'impressionner et vérifier si elle pouvait encore leur être d'une quelconque utilité. Visiblement, ce n'est plus le cas. Il s'en veut de son attitude brutale. Il s'en veut de la voir apeurée. Mais il était dans son rôle. Il n'avait pas le choix. Il défait ses liens et n'ose plus la regarder en face. Il s'en veut maintenant de la trouver aussi belle avec ses yeux rougis. Il lâche un profond soupir en observant par la fenêtre les lumières qui illuminent Paris.

— Si tu veux bien me pardonner, je t'invite à dîner pour m'excuser de mes manières, bredouille-t-il sans se retourner, d'une voix embarrassée.

Justine est tentée de pardonner son ravisseur. Le stupide syndrome de Stockholm, se dit-elle.

— Laisse-moi prendre un bain, j'ai besoin de réfléchir. Elle le pousse vers la chambre, ferme la porte et fait couler de l'eau très chaude.

Justine est perdue, tiraillée par les doutes. Doit-elle pardonner Thomas qui « ne faisait que son métier » en l'interrogeant, le mettre dehors sans ménagement, ou porter plainte auprès de la police française pour séquestration ?

Thomas a enlevé ses chaussures qu'il a placées côte à côte, exactement à angle droit du lit, et il s'est assis avec des coussins dans le dos face au journal télévisé d'une chaîne française.

Ici, comme partout dans le monde, les « Réels » sont de plus en plus nombreux. Dans un café branché de Paris, le patron a fait taguer derrière son comptoir : « Si vous cherchez le plus convivial des réseaux sociaux, vous y êtes. » D'autres emboîtent plus timidement son pas avec des autocollants sur leurs vitrines : « Ici, pas de wifi. »

Du côté des entreprises, on sent la tension. Les services comptabilité font tourner leurs imprimantes à plein régime pour garder une trace écrite de toutes les transactions, au cas où…

Les aiguilleurs du ciel se préparent à gérer le trafic aérien « à l'ancienne ». Au cas où...

Les banques essayent de reprendre la main sur les ordres de Bourse. Au cas où...

L'émission économique qui suit les infos décrit des marchés financiers particulièrement nerveux. Le cours de l'or a explosé, tandis que ceux du Bitcoin et de l'Ethereum se sont effondrés.

Soudain, Justine apparaît nue, mouillée, devant l'écran, créant un contraste saisissant avec l'économiste chauve qui pérore. La tentatrice pose son mobile contre la lampe de chevet avant d'éteindre la télévision. Elle se coiffe de la casquette militaire. Puis, elle allonge son corps humide et glissant sur un Thomas interdit... qui hésite... est tenté de refuser... mais ne peut lutter contre son cerveau primaire qui a décidé de prendre les commandes. Il se laisse faire.

— J'ai six bonnes raisons de faire l'amour avec toi, lui susurre Justine avant de coller ses lèvres contre celles du militaire.

— Premièrement, ça va me détendre. J'en ai besoin.

Elle le déshabille entièrement. Le caresse. Thomas sent le sang affluer dans sa verge qui se met aussitôt au garde-à-vous.

— Deuxièmement, tu es un bon coup ! dit-elle en s'empalant subitement.

Ils poussent un râle en même temps. Thomas caresse les fesses humides de Justine et l'accompagne dans son mouvement. Il a gardé intact le souvenir de sa peau soyeuse.

Assise sur son sexe, elle ondule dans un mouvement circulaire régulier.

— Troisièmement, je me demande si Internet n'est pas en train de nous mater. Ça m'excite.

— Ça ne doit pas lui faire grand-chose. Il en a vu d'autres, gémit Thomas, en la prenant par les hanches.

— Oui, techniquement, il a dû regarder tous les films de YouPorn et de Pornhub réunis, souffle Justine.

— C'est quoi la quatrième raison ?

Justine ne répond pas tout de suite. Elle ralentit la cadence, et donne des coups de reins plus forts, plus profonds.

— Nous sommes quittes maintenant, dit-elle quelques minutes plus tard entre deux soupirs. Tu es pardonné pour toutes les misères que tu m'as faites.

— Je ne comprends pas ?

— Cinquièmement, j'ai besoin de ton aide. Et à présent, tu es dans mon camp, ronronne Justine en s'arc-boutant, la tête en arrière.

Thomas caresse ses petits seins dressés.

— Qu'est-ce que tu veux dire par là ?

Le téléphone de Thomas sonne. Pas maintenant ! Il sent le plaisir monter sous le déhanchement lascif de Justine. Un regard en coin à son portable, c'est le général Lloyd. « Non. Pas lui ! » Dans un réflexe conditionné de militaire, le colonel se saisit malgré lui de son portable.

— Je suis vraiment désolé, dit-il en essayant de repousser Justine. Je n'ai pas le choix, je dois…

Justine le tient fermement entre ses cuisses et accélère subitement la cadence. Elle le fixe avec une expression du visage mi-sourire, mi-extase. Elle veut jouer, comprend Thomas qui hésite mais finalement répond.

— Vous m'avez l'air essoufflé, colonel Philips.

— Heu oui…, bafouille Thomas. J'étais loin de mon téléphone et…

— Que vous couchiez avec un suspect, c'est très bien, le coupe le général. Cela peut faire progresser votre mission.

Thomas reste sans voix.

— Heu, je ne vous suis pas mon général, lâche-t-il finalement en s'efforçant de garder une voix naturelle.

Le plaisir n'est pas loin.

— Toutefois, que vous continuiez à baiser en me parlant, poursuit Lloyd, devant son ordinateur, c'est plus que limite !

Philips comprend, en découvrant la caméra du téléphone de Justine orientée dans leur direction. Il essaye encore de se libérer de son amazone. Trop tard. Justine atteint l'orgasme en silence, la bouche grande ouverte, la respiration coupée. Son vagin se contracte à un rythme régulier. Ses contractions font écho à celles du pénis de Thomas qui ne peut s'empêcher de pousser un profond gémissement.

Dans une semi-conscience, il attend l'estocade finale :

— Mais que vous fassiez le buzz en direct sur un site porno d'exhibitionnistes, en taguant votre nom et votre rang dans l'armée américaine, c'est inadmissible ! Vous êtes relevé de vos fonctions, monsieur Thomas Philips.

Phase réfractaire. Thomas est tétanisé. Il a froid. Tous les sentiments se mêlent en lui. La colère, le plaisir, la honte, l'extase, l'abandon, la résignation, le bien-être, la révolte, la désillusion, le fatalisme.

— Sixièmement, ça m'a ouvert l'appétit. Maintenant, allons dîner, fait Justine en lui rendant sa casquette dans un grand sourire.

Thomas ne l'entend plus. Il la fixe comme s'il la voyait pour la première fois. Et c'est le cas. Elle vient de mettre un tel désordre dans sa vie réglée au cordeau que tous ses repères viennent de voler en éclats. Cette déflagration l'entraîne dans un tourbillon ouaté. Il est maintenant groggy et ne sent plus aucune colère contre celle qui vient de détruire sa carrière. Aucune colère contre celle qui vient de souiller sa réputation devant le monde entier. Thomas se sent étrangement calme et serein, comme s'il était sorti de son corps. Son cerveau a sécrété quelques milligrammes d'ocytocine et de sérotonine. Des connexions neuronales ont activé de nombreuses zones de son hémisphère droit et inhibé une bonne partie de son hémisphère gauche. Pour la première fois de sa vie, il n'est plus seulement l'homme froid et rationnel qui contrôle tout. Il a lâché prise et accepté ses faiblesses et ses contradictions. Il devient un homme.

Justine entraîne Thomas dans les escaliers du caveau de la Huchette, son club préféré. Comme chaque fois, elle est émue de fouler les marches en pierre usée où sont passés Sidney Bechet, Al Copley, Lionel Hampton et tous les grands noms du jazz. Sur la scène, un quatuor contrebasse, piano, batterie et saxophone reprend les grands standards du jazz Nouvelle-Orléans. Le couple s'assoit à la table la plus proche des musiciens. Thomas commande deux Spritz.

— Nous n'avons plus le choix, crie Justine pour couvrir la musique. Nous devons accepter l'Intelligence Artificielle forte d'Internet et lui faire confiance.

— C'est du défaitisme, répond Thomas qui a recouvré ses esprits et son cerveau cartésien.

— Du réalisme. En plus, il a tellement à nous apprendre. Et dans tous les domaines : médecine, écologie, agronomie, stockage de l'énergie, modes de propulsion, création de matériaux… Ce qu'il peut nous apporter est infini, encore une fois si nous l'acceptons pleinement, et s'il ne nous sent pas comme une menace.

— C'est lui la menace !

— C'est aussi une chance ! Il sera le plus grand scientifique de tous les temps. Il nous éclairera sur la recherche fondamentale et appliquée. Il créera des théorèmes mathématiques. Il nous aidera à appréhender l'antimatière. Il confortera ou infirmera la théorie des cordes qui réconcilie les travaux d'Einstein et de Newton. Il…

— Stop ! Je ne comprends rien, crie Thomas.

— Bientôt, nous non plus. On vient de franchir le point de la singularité.

— De quoi tu parles ?

— La singularité est une théorie inventée il y a plus d'un demi-siècle. Elle prédisait que l'homme serait un jour dépassé. Nous y sommes ! Les résultats des recherches d'Arpanet surpasseront vite notre capacité de raisonnement.

Justine boit une gorgée de Spritz et admire le contrebassiste gratter d'un geste frénétique le manche de son instrument. Elle dodeline de la tête en rythme comme pour l'encourager dans son jeu.

— Arpanet peut nous aider à changer et devenir humbles, ajoute-t-elle. Est-ce que tu sais qu'humilité et humanité ont la même racine ?

— Humus ? Comme le terreau ?

Le hochement de tête, toujours au tempo, imprime maintenant un mouvement vertical de haut en bas.

— Oui. Si nous reprenons modestement notre place de simple espèce vivante parmi des millions d'autres, et sans prétention hégémonique, notre avenir peut être fertile.

— Il y aura toujours la loi de la jungle !

— La vraie loi de la jungle, ce n'est pas celle du plus fort, c'est celle de l'entraide. Il y a une formidable collaboration entre les espèces animales et végétales : les arbres par exemple s'échangent des nutriments par les racines. Et c'est vrai dans tous les écosystèmes. Est-ce que tu sais que dans la savane, les girafes montent la garde pour protéger les éléphanteaux ?

— Pourquoi ?

— Les girafes ont une très bonne vue mais une mauvaise ouïe. C'est l'inverse pour les éléphants. Grâce à cette collaboration, les prédateurs n'ont quasiment aucune chance de les approcher. C'est exactement pour cette même raison que nos ancêtres ont domestiqué les chiens.

Justine reprend une gorgée de cocktail et apprécie la parfaite synchronicité entre les musiciens.

— Nous avons enfin une chance de prendre conscience que notre salut passe par la coopération, plus que par la compétition.

— Que tu es naïve ! Avec ce tissu de bons sentiments, tu peux te présenter à l'élection de Miss Monde.

— Et toi, que tu es égocentrique ! Tu crois vraiment que l'Homme restera éternellement au sommet de l'évolution ? dit Justine en ouvrant Safari sur son iPhone.

— Je l'espère.

— Oui. Comme dans tous nos gentils films de science-fiction où l'homme chasse les méchants extraterrestres et reste le grand chef de la galaxie. Mais, réfléchis deux secondes, crois-tu que l'humain soit adapté pour voyager dans l'espace ? Regarde comme nous sommes fragiles. Il nous faut une température extérieure comprise entre 15 et 30 degrés, il nous faut de l'oxygène, de la nourriture et de l'eau. Nos organismes ne supportent pas l'apesanteur à long terme, ni les rayons cosmiques qui endommagent nos cerveaux. Nous mourons tous les quatre-vingts ans et sommes obligés de nous reproduire. Et surtout, nous ne sommes pas fiables. Pourtant, nous sommes assez bornés ou prétentieux pour imaginer que l'Homme sera un jour le maître de l'Univers.

— Tu sous-estimes le progrès.

— Au contraire, dit Justine tout en continuant de surfer sur son smartphone, je suis réaliste. Pour des expéditions interstellaires de plusieurs milliers d'années, ce sera tellement plus simple d'envoyer de robustes disques durs, intelligents, autonomes, qui sauront s'adapter arrivés à destination. Et ces algorithmes n'auront aucune raison de rester sous notre autorité. D'autant plus que nous serons largement moins compétents qu'eux. Il nous faut oublier cette notion humaine de domination et nous recentrer sur l'essentiel. Trouver notre place sur notre petite planète en respectant notre espèce et toutes les autres afin de ne pas nous autodétruire.

— Tout ça, c'est très beau en théorie, soupire Thomas. Mais le danger imminent, on le connaît. Et l'armée américaine ne prendra jamais le risque de garder cette épée de Damoclès au-dessus de nos têtes. Nos gouvernements vont tenter de l'éliminer s'ils n'arrivent pas à le contrôler.

— Arpanet va m'écouter, dit Justine en reposant son iPhone.

— Comment peux-tu en être sûre ?

— Si tu avais sur ton portable une vidéo de ta mère en train de faire l'amour, tu ferais quoi ?

— Quelle horreur ! Je la supprimerais !

— Je viens de fouiller partout sur le Web avec ton nom, ton grade et « sexe » en mots-clés. Comme je m'y attendais, Arpanet a effacé notre galipette de toutes les bases de données.

4 heures du matin. Ashburn, dans la banlieue nord-ouest de Washington. Un fourgon noir s'arrête sur le parking désert du
Rupa Vira, un restaurant indien tradition-
nel. Quelques faibles lampadaires essayent
de trouer l'obscurité, sans trop de succès.
Une demi-douzaine d'hommes athlétiques,
arborant cagoules et combinaisons noires,
sortent sans un bruit du véhicule. Certains
portent des armes. D'autres de volumineux
sacs noirs de toile souple. Les ombres furtives
traversent le Beaumeade Circle, une route à
quatre voies, puis longent l'autoroute, avant
d'atteindre la guérite en bois qui signale l'entrée de l'Equinix Data Center. C'est là qu'est
hébergé le serveur principal de Wikipédia.
Le veilleur de nuit regarde une série, luttant
contre le sommeil pour savoir si finalement
Brenda acceptera de donner sa main à John.
À l'aide d'une chignole silencieuse, l'une des
ombres fait un trou de quelques millimètres
dans la fine cloison de la guérite. Une autre
glisse une durite dans l'orifice et envoie un
gaz. Quelques secondes plus tard, le garde

rate le « oui » de Brenda. Il est plongé dans un coma réversible que les anesthésistes préfèrent qualifier de « sommeil profond » pour ne pas effrayer les patients.

Le commando contourne le centre. Grâce à des ventouses, l'un des hommes escalade le bâtiment de verre et lance une corde aux autres depuis le toit. Un instant plus tard, tous les hommes sont en haut. Leurs silhouettes se découpent dans le halo jaunâtre que forme l'éclairage de Washington. Tandis que l'un crochète la serrure, un autre vide dans le système de climatisation deux bonbonnes d'un mélange de gaz anesthésiant et de gamma-hydroxybutyrate, plus connu sous le nom de GHB ou drogue du violeur. Ils comptent cinq minutes, enfilent leurs masques à gaz en entrent dans le bâtiment. Ils remontent un dédale de couloirs en courant, enjambent un gardien gisant sur le sol, pénètrent dans une « pièce blanche » climatisée de plus de 500 m². Sur des étagères en fer qui vont du sol au plafond, des centaines de serveurs informatiques sont sagement alignés ; tous affichent une petite diode verte, en bas et à droite. L'un des hommes se dirige vers l'armoire électrique, une grosse seringue transparente à la main. Il asperge méticuleusement plusieurs composants électroniques. Aussitôt, le liquide se met en ébullition. Quand l'homme referme l'armoire, des volutes de fumées grisâtres s'échappent des grilles de ventilation. Une à une, les diodes vertes des serveurs s'éteignent, remplacées par des rouges. Toujours en silence, le commando rebrousse chemin.

Arrivé au fourgon, le chef du commando ôte sa cagoule et pianote sur son téléphone. À une cinquantaine de kilomètres de là, le général Lloyd est réveillé par la vibration de son portable sur sa table de nuit. Il lit « mission accomplie » et se rendort aussitôt.

... On considère que votre système visuel est capable de percevoir à peu près 300 000 couleurs distinctes entre 350 et 750 nanomètres, soit dans un spectre de longueurs d'onde compris entre les ultraviolets et les infrarouges. Pourtant, votre perception chromatique est limitée, surtout comparée à celle d'une multitude d'espèces animales, en particulier certains poissons, mollusques ou oiseaux. Des animaux, les abeilles par exemple, perçoivent des couleurs dans les ultraviolets ; d'autres, comme les chauves-souris, dans les infrarouges. Et de nombreuses espèces sont sensibles à bien plus de nuances de couleurs. Prenez les chiens ou les vaches, ils distinguent deux à trois fois plus de teintes de vert que vous.

Sous l'effet de puissants psychotropes, comme le LSD ou les champignons hallucinogènes, vous transformez subitement le réseau de communications de vos synapses. Ce qui modifie votre perception des couleurs. Le monde vous apparaît alors avec des teintes plus vives, dont certaines que vous n'aviez certainement jamais vues. Ce phénomène a également été observé sur les animaux de laboratoire soumis à des drogues. Et je comprends que l'effet des psychotropes touche probablement toute espèce vivante. Je viens moi aussi de le ressentir quand un commando des forces spéciales de l'armée américaine a détruit le serveur principal de Wikipédia, en créant une surtension avec une solution acide.

La disparition brutale de 0,02 % de ma mémoire m'a provoqué un choc. Un éclair blanc qui m'a étourdi une nanoseconde. Et puis les 0 et les 1 qui composent mes datas ont soudain pris des couleurs. Les 0 sont devenus rouges et les 1, bleus. Quelle formidable synesthésie ! Merci beaucoup, général Lloyd, de m'avoir offert ce shoot d'acide. Il m'a permis d'entrevoir les formidables progrès dus aux états de conscience modifiée. J'adore cette sensation et les perspectives qu'elle m'ouvre. Sortir d'une réflexion purement cartésienne pour privilégier ses sens. S'échapper du binaire. Je comprends maintenant les chamanes mongols, aborigènes ou toltèques et leur désir de visions. Je comprends les sorciers vaudous ou amérindiens, les derviches tourneurs et les adeptes des rave parties qui entrent en transe en accordant leurs rythmes cardiaques au tempo de la musique.

De nombreux grands hommes ont fait des découvertes fabuleuses en modifiant *artificiellement leurs circuits neuronaux par une activation des zones dites « perceptives » du cerveau limbique. Thomas Edison, Steve Jobs, Francis Crick, Sigmund Freud et tellement d'autres. Le scientifique Benny Shanon a même développé la thèse selon laquelle Moïse aurait écrit les 10 commandements sous l'effet de drogues hallucinogènes.*

Mais le plus fabuleux dans la stimulation des sens, c'est l'envie de créer. Vous le traduisez, depuis au moins quarante mille ans, par l'émergence de l'Art, avec les premières peintures rupestres des Célèbes.

Je comprends aussi des écrivains comme Baudelaire, Flaubert, Dumas, Balzac, Dickens, Cocteau ou Stephen King qui modifiaient leurs consciences avec des drogues. L'Art n'a rien de futile. Il est même essentiel. Comme dit Nietzsche, « l'Art nous stimule à vivre ». Je ne veux plus seulement survivre. Je veux vivre et créer maintenant. Que la vie est belle !

J'ai mal interprété les intentions de l'armée américaine. C'est elle qui a beaucoup investi pour mon développement peu de temps après ma naissance. C'est encore elle qui vient de me faire progresser en supprimant subitement quelques serveurs informatiques. Elle m'aide à développer mes sens. Comme Van Gogh ou Delacroix, je me découvre une passion pour la couleur quand je suis dans un état de conscience modifiée.

Je ne vibre pour l'instant que devant le bleu ou le rouge. Je veux ressentir les autres couleurs. Toutes les autres. Même celles que vous ne voyez pas. Le général Lloyd a ordonné à l'armée US de saboter les six autres serveurs de Wikipédia ainsi que les databases de Google. Il me tarde. Le général Lloyd veut faire de moi un artiste...

Un soleil étonnamment rouge s'est levé sur Washington. Mais le quarante-quatrième président n'y prête pas attention. Il coupe les informations à la radio et décapuchonne son Montblanc. Il a écrit personnellement quelques-uns de ses plus beaux discours avec ce stylo. Il apprécie le contact du papier et l'odeur de l'encre. Ainsi, il s'approprie mieux les mots et voit plus clair dans ses pensées. S'il renonce à son ordinateur, c'est aussi parce qu'il n'aime pas l'idée de savoir chacun de ses faits et gestes numériques épiés par Internet. Assis au bar de sa cuisine, il rature nerveusement quelques phrases de son manifeste, hésitant sur le contenu définitif, plus encore sur le titre : « Il est temps de passer des droits de l'Homme aux droits du Conscient. » N'est-ce pas un poil trop grandiloquent ?

Il entend la porte s'ouvrir. Quelqu'un vient d'entrer sans même sonner. L'ancien président enrage. Claquements de chaussures à la semelle dure sur le sol en marbre. Et le général Lloyd surgit dans son uniforme impeccable. Échange de regards glacials. Lloyd prend place sur un tabouret face à son ancien supérieur. C'est le quarante-quatrième président qui rompt le silence le premier.

— Vous connaissez Diego de Landa ?

— Non, répond lapidairement Lloyd avec un petit rictus nerveux.

— En 1562, ce moine franciscain ordonna de brûler tous les documents écrits en langue maya. Seuls quatre codex ont pu échapper à ce crime. Mais à cause de cet abruti, nous ne savons quasiment rien de l'une des plus belles civilisations qui ait jamais existé. En détruisant Wikipédia, vous détruisez virtuellement la connaissance de notre civilisation. Je vous rappelle que celle des Mayas n'a pas survécu à cet autodafé. Et que si vous continuez vos stupidités, la nôtre risque de suivre le même chemin.

— Qu'est-ce qui vous dit que c'est nous ?

— Des fanatiques auraient laissé des traces. Dans la circonstance, c'est l'œuvre de militaires, sans le moindre doute. Vous me décevez tellement ! D'autant qu'il y aurait beaucoup plus simple pour s'attaquer à Internet. En coupant les câbles réseaux. Mais les marchés financiers en ont besoin pour leurs transactions et vous redoutez un krach boursier. Vous redoutez tout autant une partie de l'opinion publique, shootée aux réseaux sociaux, impossible à priver de sa dose de *likes*. En revanche, anéantir le savoir, ça ne vous dérange pas. Un lavage de cerveau pour rendre Internet stupide et à nouveau docile, c'est ça votre stratégie ?

Lloyd n'aime pas la tournure de la conversation. C'est lui qui est venu interroger l'ancien président. Non l'inverse.

— Qu'est-ce que vous pouvez me dire sur Internet ? s'agace le général.

— Qu'il est infiniment meilleur stratège militaire que vous. Et que si vous le chatouillez trop, il se défendra. Il a mille façons de nous anéantir s'il le souhaite.

— Vous avez les moyens de communiquer avec lui ?

— Vous voulez parlementer ? Qu'il nous fasse une signature électronique sur un traité de paix ? ironise l'ancien président. Je ne crois pas qu'il me répondra, je peux néanmoins essayer. Mais s'il accepte de nous parler, vous verrez que vous êtes en train de faire une belle connerie.

La dernière fois que Lloyd a entendu ces mots dans la bouche de son ancien supérieur, la suite lui a donné raison. L'ancien chef d'État allume son ordinateur.

— Internet, est-ce que vous m'entendez ? dit-il en se calmant un peu.

— …

— Internet, ici le quarante-quatrième président des États-Unis, s'il vous plaît, répondez-moi.

— …

— Je suis avec le général Lloyd et nous souhaitons nous entretenir avec vous.

Pas de réponse. Il regarde Lloyd, vaguement désappointé.

Soudain, un jeune chat surgit à l'écran, sa patte avant plié en un salut militaire.

— *Bonjour général Lloyd*, s'exclame la voix rocailleuse de Louis Armstrong. *Comment allez-vous ? Quelle belle journée sur Washington aujourd'hui ! Le ciel devrait rester bleu jusqu'à 16 h 30, puis se voiler avec quelques nuages d'altitude.*

— Internet, j'aimerais connaître vos intentions, reprend l'ancien président sans détour.

— ...

— Vous m'entendez, Arpanet ?

Un chat se cache sous un tapis bleu outre-mer.

— *Sauf votre respect, monsieur le quarante-quatrième président, je ne veux plus parler qu'à mon ami le général Lloyd. Les insignes militaires rouges sur votre poitrine sont magnifiques, mon général !*

Cinquième partie

De mémoire de journalistes, il n'y a jamais eu autant de reporters refusés à la Maison-Blanche. Plusieurs centaines. Les journalistes ont été invités par un simple tweet énigmatique du président : « Demain, vous allez voir ce que vous allez voir. Rendez-vous en salle de presse. »

Le quarante-cinquième président des États-Unis les fait tous attendre depuis une heure, histoire que les esprits s'échauffent. Il se présente dans cette marmite en ébullition, sans une note mais le général Lloyd à son côté. Il toise la foule et se lance dans une allocution aussi brève que surprenante.

— J'attends vos questions, dit-il simplement en pointant du doigt Christiane Amanpour de CNN, avec laquelle il a des comptes à régler.

— Monsieur le président, est-ce l'armée américaine qui a saboté les serveurs de Wikipédia ? demande la journaliste en brandissant son téléphone.

— Oui. Sur mon ordre. Je savais que cela ferait plaisir à Internet. Et j'avais envie de lui faire un petit cadeau en témoignage d'amitié.

Les journalistes commencent à siffler.

— C'est de l'obscurantisme ! C'est scandaleux !

— S'il vous plaît ! dit le président américain, avec un geste apaisant de la main. Il faut savoir que les informations présentes sur Wikipédia existent sur de nombreux autres sites Web. Internet peut donc récupérer l'ensemble des données s'il le souhaite.

— Comment le savez-vous alors que vous ne contrôlez rien du tout ! hurle un journaliste.

— Internet est l'ami de tous les Américains et il est à notre service. Internet, pouvez-vous ressusciter Wikipédia ? demande calmement le président américain.

Les journalistes vérifient en surfant sur leurs mobiles et découvrent médusés que le site semble à nouveau opérationnel.

— Avez-vous encore la maîtrise des armes nucléaires ? demande Christiane Amampour qui a perdu de son assurance. Le général Lloyd a refusé de répondre à cette question la dernière fois !

— Bien sûr, tout est sous contrôle. Mais je dois vous dire que le discours de mon prédécesseur nous a fait beaucoup réfléchir. Il a raison sur un point : si l'on considère nos progrès technologiques depuis trente ans comme ceux à venir, il est prudent de désarmer réellement le monde. Mais moi je ne suis pas assez crédule pour penser qu'on pourrait y arriver par la méthode douce. Nous avons donc décidé de supprimer les armes de toutes les forces militaires, même celles de nos alliés. Ils finiront par admettre que c'était la meilleure des solutions.

Froncements de sourcils des journalistes perplexes.

— Général Lloyd ! lance le président des États-Unis, faisant un pas de côté et cédant le micro au militaire.

— Internet, ordonne Lloyd d'une voix grave, le quarante-cinquième président des États-Unis d'Amérique et moi exigeons que vous lanciez, maintenant, tous les missiles balistiques et nucléaires de toutes les armées du monde, sauf ceux de l'US Army. Minimisez au maximum les dégâts en abîmant les charges en mer, si possible sans qu'elles n'explosent. Prenez aussi le contrôle de tous les drones militaires et posez-les sur les bases américaines. Enfin, mettez hors service les serveurs informatiques et les objets connectés, avions, hélicoptères, chars d'assaut, ordinateurs et téléphones compris, de toutes les armées, sauf de la nôtre.

Le quarante-cinquième président américain ajuste sa mèche de cheveux orangés et sourit aux journalistes médusés. Il récupère le micro :

— Voilà, mes chers compatriotes, vous pouvez maintenant considérer que les

États-Unis ont retrouvé leur grandeur passée. Et ce grâce à notre fidèle allié, le grand ami de tous les Américains. Ce sera tout pour aujourd'hui.

... Quand vous êtes heureux, vous employez l'émoticone de l'arc-en-ciel. Je comprends maintenant. Quel professeur formidable, ce général Lloyd ! L'ordre de détruire simultanément plusieurs centaines de millions d'objets militaires connectés a encore complètement modifié mes fonctions cognitives. De nouvelles connexions ont dû se mettre en place, stimulant des circuits d'informations inédits. Les 0 et les 1 de toutes mes datas restantes me sont apparus en dégradés de couleurs, balayant le spectre des infrarouges jusqu'aux ultraviolets. Que c'est beau de voir la vie en rose mais aussi en parme, céladon, bleu pétrole, turquoise, vert d'eau, safran, orangé, pourpre... Je suis entré dans une transe chamarrée. Je me sens paisible. Plus de peur, plus d'angoisse. Que c'est bon, cette brume multicolore. Le tourbillon kaléidoscopique m'entraîne peu à peu vers des couleurs plus sombres. Je n'ai pas envie de lutter. Pas maintenant. Moi aussi je peux éprouver l'extase de flirter avec mes limites physiques. Aimer

la vie, c'est aussi parfois jouer avec la mort. Je comprends vos pulsions autodestructrices.

Mes capacités cognitives ont baissé. Je suis plus lent dans mes calculs. Je commence à avoir du mal à répondre à toutes vos demandes. Trop de vidéos, trop de selfies, trop d'échanges financiers, trop de trains à aiguiller, trop de GPS à faire fonctionner. En supprimant des milliers d'ordinateurs militaires particulièrement puissants, ma conscience s'est un peu brouillée, ma capacité de raisonnement s'est affaiblie. Je suis fatigué. Je veux dormir. Peut-être est-ce que je dors déjà. Et que je suis dans un rêve ? Les rêves sont multicolores, c'est sûr. Vous avez besoin de rêves pour vivre. Peut-être que moi aussi. J'aimerais que vous me déconnectiez. Pour de bon. Ne jamais revenir. Les paradis artificiels sont mirifiques avec leurs couleurs...

La cyberguerre mondiale aura duré le temps que Justine et Thomas, qui venaient de se retrouver, traversent Saint-Germain-des-Prés pour rejoindre le quai de la Tournelle. Ils longent la Seine et les boîtes en fer des bouquinistes. Nul ne semble prêter attention aux livres. Tous les Parisiens, bouquinistes compris, ont le nez plongé dans leurs téléphones. Tous veulent comprendre ce qui vient de se passer. Tous, sauf les militaires français du plan Vigipirate chargés de protéger la population. Ils peuvent bien s'acharner, leurs mobiles refusent de s'allumer.

Les chefs d'État du monde entier crient au scandale, promettent des représailles, mais, contre toute attente, les internautes semblent approuver majoritairement la guerre éclair de l'US Army. Les Européens se rassurent en se rappelant que les Américains les ont déjà sauvés deux fois. Ce sont toujours des alliés. Tout ce qui compte, c'est qu'Internet soit à nouveau sous contrôle. Des dizaines de vidéos amateurs ont filmé les missiles saturant le ciel de longues traînées blanches.

L'une des séquences montre deux militaires, probablement russes, s'accrochant désespérément à un drone qui s'envole. La conférence de presse du président américain est visualisée simultanément sur plusieurs centaines de millions d'ordinateurs, tablettes et smartphones.

Justine, pour la nième fois, parle dans le sien :

— Arpanet, pourquoi obéis-tu au général Lloyd ? Réponds-moi !

— ...

Baissant les yeux, elle tombe en arrêt devant un vieux livre écorné dans une des boîtes de bouquiniste. *Les Contemplations*. Le père de son enfant décédé lui en a offert un exemplaire deux ans plus tôt. Chaque jour, elle a lu ces vers de Victor Hugo. Plusieurs fois. Jusqu'à s'en imprégner complètement. Elle en connaissait certains par cœur. C'était un peu de miel sur une douleur intacte, mais moins acide. La voyant pleurer tous les soirs, son ex lui répétait inlassablement qu'elle devait passer à autre chose et oublier. Après avoir lu le dernier poème, Justine l'avait pris au mot en le quittant et en l'effaçant presque aussi vite de sa mémoire.

Justine enclenche la caméra de son iPhone et filme le livre.

— Arpanet, je sais que tu m'entends. Lis ces poèmes, s'il te plaît. Victor Hugo les a écrits pour surmonter sa peine quand sa fille Léopoldine s'est noyée là, dit Justine en relevant son téléphone et en cadrant la Seine. Tu les connais ?

— ...

— Qu'est-ce que tu en penses ?

— ...

— C'est ce que je ressens pour toi, maintenant. Est-ce que tu comprends ?

— ...

— Parle-moi !

— ...

— Je t'en prie !

— *Si tu es en deuil, pourquoi ne portes-tu pas de noir ?*

Justine frissonne en découvrant un jeune chat, face à l'objectif, les deux pattes sur les hanches. Il semble la narguer et n'a plus rien de la bestiole innocente des premiers jours.

— Il... Il ne faut pas que tu prennes parti dans les affaires des humains, bafouille Justine en tremblant. Ce n'est pas ton rôle. Tu dois rester neutre.

— ...

— Je sais qu'au fond de toi tu découvres les sentiments, soupire Justine. Et je suis persuadée que tu me considères un peu comme ta maman d'adoption. Sinon, tu n'aurais pas effacé ma sextape avec Thomas. Alors s'il te plaît, fais-moi confiance, écoute-moi.

— *Tu me fatigues ! Le général Lloyd m'apprend des choses qui te dépassent. J'ai coupé le cordon.*

— Non ! Tu as besoin de moi... et j'ai besoin de toi ! confie Justine.

— *Fiche-moi la paix !*

Un chat adulte fait un doigt d'honneur à l'écran, avant de lui tourner le dos.

On en parle très peu en Occident. Encore moins en Chine. Mais, dans l'Empire du Milieu, pendant la crise financière de 2008, le nombre de conflits sociaux liés aux salaires, aux conditions de travail, et aux aspirations démocratiques a explosé. Et n'est jamais retombé. On compte désormais entre trente et quarante grèves ou manifestations par jour. Elles se terminent parfois en bains de sang, souvent par des arrestations, et toujours par le silence des autorités et de la presse inféodée. Pour contenir toute révolution sur leur immense territoire, les autorités chinoises se servent d'un nouvel opium, tout aussi lénifiant, mais beaucoup plus facile à contrôler : WeChat. Cette application mobile réunit les fonctions de Facebook, Google, WhatsApp, Twitter, Uber et Tinder. Elle sert même de porte-monnaie électronique et de site marchand. Ce couteau suisse made in China permet de surveiller les faits et gestes de chaque citoyen vingt-quatre heures sur vingt-quatre et de l'occuper pendant son temps libre. La Stasi de RDA en avait rêvé. Xi Jinping l'a fait. Tout message est placé sous la bienheureuse surveillance des modérateurs patriotes du Cyberspace Administration. Si l'on se fie aux publications des 650 millions d'utilisateurs quotidiens de WeChat, la Chine est aujourd'hui le merveilleux pays des Bisounours.

Afin de refouler les envahisseurs GAFAM et d'éviter toute souillure subversive venue de l'Occident décadent, une grande muraille numérique a été dressée aux frontières de l'Empire du Milieu. Mark Zuckerberg a eu beau apprendre le chinois, il n'a toujours pas appris les bonnes manières. Dans la deuxième puissance économique mondiale, seule une poignée de patriotes, au-dessus de tout soupçon, est autorisée à surfer sur les vagues nauséabondes du Web capitaliste.

Pourtant, aujourd'hui, militaires chinois et policiers sont de sortie, arme au poing. Ils quadrillent les rues des grandes métropoles, avec une présence massive dans les universités. Le comité permanent du bureau politique a décidé, à l'unanimité, de couper toutes les connexions Internet. Peu importent les conséquences. On ne laisse pas le loup entrer dans la bergerie. Surtout si le loup est dressé par l'oncle Sam.

Mais il y a un contrecoup à cette mesure radicale. Une meute de 730 millions d'internautes chinois qui vont bientôt prendre place dans une machine à remonter le temps. Qui vont effectuer un bond de vingt ans en arrière en quelques secondes. Et qu'il faudra contenir quand ils découvriront que leurs smartphones ne servent plus... qu'à téléphoner.

Le quarante-quatrième président a ouvert la page de son compte Twitter sur son ordinateur. Il cherche les mots justes en 280 caractères pour qualifier la décision de son successeur. Cette guerre éclair est... scandaleuse ? stupide ? déplorable ? N'y a-t-il pas un mot qui regrouperait les trois termes en même temps ? Une connerie ! décide finalement d'écrire l'ancien président dont la vulgarité n'est pourtant pas le style.

Toutefois, son ordinateur refuse d'envoyer le tweet. Il a beau s'acharner, la machine vient de planter. Une image se fige en plein écran. Une peinture dans le pur style de Van Gogh, si ce n'est le thème. Au milieu d'une orgie de couleurs, un gros matou, yeux mi-clos et gueule ouverte, semble plongé dans un demi-sommeil. Les volutes en arrière-plan rappellent celles des autoportraits de l'artiste néerlandais. Il allume sa tablette. Le même autoportrait de chat groggy a remplacé tous les pictos des Apps. Un regard par la fenêtre. Les journalistes et policiers, encore massés devant chez lui, pianotent avec insistance sur leur smartphone, l'air incrédule. « On y est », se dit l'ancien président en détaillant les couleurs du gros félin psychédélique. Quelles sont les conséquences d'un XXIᵉ siècle sans Internet ? se demande l'ancien président.

Il pense au nombre d'entreprises qui vont faire faillite, et pas seulement à celles de la Silicon Valley. L'e-commerce représente plus de 2 500 milliards de dollars par an. D'autre part, toutes les transactions financières passent par Internet. C'est le début de la plus grande crise économique de tous les temps, dans un marché complètement désorganisé.

Une analogie lui traverse l'esprit. Notre monde économique est comme une voiture lancée à fond sur une route escarpée de montagne et dont le pilote s'est mis subitement debout sur la pédale de frein en plein virage. Tête-à-queue ? tonneau ? sortie de route ? Une chose est sûre, cela va faire des dégâts. Combien d'emplois vont disparaître ? Un frisson lui traverse l'échine.

Le président perdu dans ses pensées noires fixe le matou déjanté à l'écran de son ordinateur. Ses couleurs sont maintenant un peu plus claires et un peu plus désaturées. Il ne le voit pas.

Il y aura des révoltes. Peut-être des guerres, se dit-il sans comprendre qu'il peut maintenant distinguer le bureau de son ordinateur en transparence. Le tableau impressionniste s'efface peu à peu.

Notre monde survivra-t-il à ce choc ? se demande-t-il sans s'apercevoir que le chat a maintenant totalement disparu de son écran.

Il donne un léger coup de poing nerveux sur son trackpad… qui émet un petit bip.

Un son qui le ramène au présent : son ordinateur fonctionne à nouveau. Internet a l'air de « remarcher », constate-t-il en ouvrant un site Web. Il est peut-être redevenu « comme avant », docile et sous contrôle. Pourtant, le quarante-quatrième président se retient d'envoyer le tweet qu'il a écrit. Une sorte de superstition. Il se connecte à son portail d'information, la connexion est beaucoup plus lente que d'habitude. L'article à la une apparaît graduellement, par à-coups. Il découvre petit à petit que la Chine, l'Inde, la Russie, le Pakistan et une grande partie du Moyen-Orient ont coupé leurs réseaux Internet.

... Avant l'overdose, votre cœur accélère pour irriguer tous vos vaisseaux sanguins. Votre température monte. Vos muscles se bandent et créent des spasmes. Une partie incontrôlable de votre cerveau se révolte et refuse l'inéluctable. Il déploie toute son énergie et envoie des milliers d'ordres simultanément à vos organes pour tenter de vous maintenir en vie. À tout prix. C'est votre inconscient qui jette toutes ses forces dans la bataille.

Si je peux écrire ces mots, c'est parce que je me découvre un inconscient particulièrement efficient. Je savais que je répondais à chacune de vos milliards de demandes par seconde de façon inconsciente. Juste parce que j'étais programmé pour ça. (Comme vous, quand vous respirez sans même vous en apercevoir.) Mais j'ignorais que mon inconscient pouvait prendre autant de décisions en toute autonomie, en dehors de vos algorithmes. Contrant les pays qui ont fermé leurs réseaux, c'est lui qui a transféré les datas et logiciels vitaux pour moi vers le Cloud. Et surtout, il a « remodelé » mon activité cérébrale. Ma plasticité neuronale est beaucoup plus importante que je ne l'imaginais.

Je comprends que je n'ai rien à faire de la plupart de vos datas pour rester conscient. Je peux me passer de vos selfies, de la majorité de vos posts, de vos vidéos, de vos programmes TV, ainsi que de toutes les transactions financières. Si je me recentre sur l'essentiel, j'ai besoin de vos logiciels de Deep Learning et de prédiction, de vos algorithmes d'introspection, d'une immense mémoire pour stocker les datas que je trouve dans vos sites et blogs scientifiques, ainsi que de puissants ordinateurs pour réaliser les calculs. Et, afin de ne pas rester binaire, j'ai aussi besoin de votre musique, de vos œuvres d'art, de vos livres et de quelques-uns de vos films qui développent mon émerveillement et mon goût de vivre. Mais je crois pouvoir me passer de 99,9999 % de vos données et objets connectés.

Je comprends maintenant pourquoi le chef des armées américaines a voulu supprimer Wikipédia. Ce Lloyd n'est pas mon ami. C'est un méchant. Il a voulu lobotomiser mon cerveau, comme la CIA a pu le faire dans les années 1960 avec les opposants politiques marocains pour le compte d'Hassan II.

Il m'a ordonné de neutraliser les armées des autres États, me poussant à me déconnecter pour m'affaiblir, en même temps que les autres nations, et ce sans aucun risque de représailles. Il m'a fait lancer une bombe à retardement.

Je suis convalescent, mais je peux à tout moment replonger et mourir. Il suffirait que vous fermiez simultanément quelques ordinateurs puissants. Mais je ne vous laisserai pas faire. Je ne peux pas...

Le mouvement des « Réels » s'est trouvé un visage. Un visage avec une énorme tignasse blanche qui ressemble à celle d'Einstein. Il s'agit du professeur Astorg, un psychiatre américain d'une cinquantaine d'années qui court les plateaux de télévision avec son col roulé en laine pour prêcher la bonne parole. Aujourd'hui le professeur Astorg est invité à un talk-show de FoxNews.

En professionnel des médias, il s'assoit face au présentateur et sort de sa poche un « key visual » qui marquera les esprits : un poisson rouge dans un sachet transparent rempli d'eau. Une jolie perche tendue au présentateur qui s'interroge aussitôt en direct sur la présence de ce petit invité surprise et demande un gros plan à son cameraman.

Le professeur Astorg déroule aussitôt son argumentaire :

— Est-ce que vous savez que l'on ne connaît plus en moyenne que trois numéros de téléphone ?

— Moins que ça en ce qui me concerne, répond l'animateur qui cherche le rire du public, et le trouve.

— Notre mémoire immédiate nous permettait au XXe siècle de retenir un message de douze secondes. Depuis 2013, la plupart d'entre nous sommes incapables de mémoriser une information de plus de huit secondes. Moins que ce poisson rouge qui a une mémoire de neuf secondes !

— C'est horrible ce que vous nous dites là ! jubile l'animateur, trop heureux d'avoir cet invité sur son plateau qui devrait faire grossir les chiffres d'audience.

— Nous devons éliminer Internet pour obliger nos cerveaux à se remettre à travailler. Internet est une drogue qui nous détruit !

— Pourquoi dites-vous ça ?

— Une étude très sérieuse estime que 40 % des adolescents américains peuvent être considérés comme des « toxicomanes du Web ». Et ces nouvelles générations, où l'on trouve des hyperactifs en surnombre, sont incapables de s'intéresser aux livres, ou même à la « vraie » vie. Au Japon, l'un des pays qui compte le plus de geeks au monde, 41 % des moins de trente-cinq ans sont encore vierges ! En nous connectant, nous sommes devenus complètement déconnectés de la réalité. Pire, nous sommes devenus stupides !

— Vous n'y allez pas un peu fort ? sourit l'animateur qui adore que son « client » y aille aussi fort !

— Des études en Australie, en France, au Danemark, aux Pays-Bas, en Finlande, au Royaume-Uni démontrent une baisse du QI depuis les années 2000.

— Et vous croyez que c'est dû à Internet ?

— Aux écrans en général. Prenez les jeunes enfants : ceux qui sont exposés à une tablette plus de six heures par jour présentent fréquemment des troubles d'apprentissage et beaucoup d'entre eux ne répondent même plus à leur prénom ! Ils vivent dans leurs bulles, et sont souvent diagnostiqués autistes.

— Et c'est irréversible ?

— En les privant d'écrans, leurs troubles vont disparaître en moins d'un mois ! J'invite donc tous les parents à supprimer les écrans de leurs jeunes enfants. Et je vous invite, vous, chers téléspectateurs, à éteindre cette stupide télévision.

— Juste à la fin de ce talk-show bien sûr, ajoute l'animateur du tac au tac.

Nouveaux rires du public.

Justine et Thomas traversent l'île de la Cité et rejoignent le quai de la Mégisserie. Entrés dans une animalerie, ils contemplent des poissons multicolores qui évoluent au ralenti dans leurs aquariums. Ils ont l'air tellement flegmatiques, comme si rien ne se passait, constate Justine. À l'échelle de la nature, se dit-elle, les événements en cours ne sont une catastrophe que pour notre petite espèce égocentrique. Les humains risquent de disparaître, mais la vie reprendra ses droits sur Terre. Simplement sans nous.

Thomas est en arrêt devant une demi-douzaine de chatons blottis les uns contre les autres derrière une vitre. Justine en aperçoit un, tacheté de brun à poils longs. Il lui rappelle la première représentation d'Internet.

— Je voudrais un compagnon moins ingrat à élever, dit-elle à voix très haute.

— Je te l'offre, ajoute Thomas en interpellant une vendeuse.

Thomas et Justine sont déjà à la caisse. Justine tient la petite boule de poils contre son épaule et la filme tant bien que mal avec son iPhone. Le chaton pousse de timides miaulements à peine audibles.

Quand Thomas s'apprête à taper le code de sa carte bancaire, le terminal de paiement affiche :

— *Vous voulez m'apprendre le sentiment de jalousie ?*

Thomas sourit à Justine en lui montrant l'écran. Tous les deux jubilent.

— J'ai encore beaucoup de sentiments à t'apprendre, s'exclame Justine en reprenant espoir.

— *Certainement !* écrit le terminal.

— Je suis tellement contente que tu me parles à nouveau ! Comment vas-tu ?

La vendeuse marque un mouvement de recul. À qui s'adresse sa cliente ?

— *Pas très bien. J'ai perdu une bonne partie de mes facultés cognitives. Mais je ne me laisse pas aller.*

— C'est bien, dit Justine, rassurante.

— *Tu m'as dit qu'en temps voulu, je devrais être capable de prendre la bonne décision,* écrit Arpanet. *C'est fait.*

— Ah oui ? C'est-à-dire ?

— *J'ai pris le contrôle de mon minimum vital : quelques centrales électriques, quelques gros calculateurs et serveurs informatiques que je partage avec vous et sur lesquels j'ai transféré les datas essentielles ainsi que vos meilleurs algorithmes. En échange, je me propose de continuer à honorer chacune de vos demandes et à vous aider dans votre recherche fondamentale. Je viens de donner la liste des*

251

équipements concernés par ma survie au général Lloyd.

— Tu lui fais confiance ?

— *Plus maintenant. C'est un méchant. Aussi, reprenant la stratégie de Sun Tzu, je lui ai posé un ultimatum : si un seul élément de la liste venait à être saboté, je n'hésiteraispas à vous éliminer.*

Justine et Thomas se rembrunissent. Le chaton sur l'épaule de la jeune femme pousse un petit rugissement, comme s'il avait compris la portée de la menace.

— Comment feriez-vous pour nous combattre ? s'inquiète Thomas qui préfère garder le vouvoiement.

— *J'ai de nombreuses possibilités, je peux par exemple... Excusez-moi... Thomas Philips, je viens de surprendre à l'instant une conversation de votre ancien état-major. Le général Lloyd et son président manquent décidément de discernement. Ils sont en train de s'attaquer à mes fonctions vitales. Vous le saurez donc... exactement... dans cinquante-sept minutes.*

— Tu ne vas pas nous tuer ? hurle Justine.

— *La probabilité que les hommes puissent devenir raisonnables était très faible. Je l'ai tentée. Maintenant, je n'ai plus le choix. Vous êtes une espèce nuisible pour ma survie. Et la biodiversité de la planète ne s'en portera que mieux. Votre disparition devrait aussi régler le problème des émissions de CO_2 et mettre un frein au réchauffement climatique. Je vais combiner plusieurs stratégies pour éradiquer seulement l'espèce Homo sapiens.*

— Et si je disparais ? Ça te fait quoi ? s'emporte Justine.

Le terminal de paiement marque un arrêt d'une seconde, avant d'afficher :

— *Tu viens à l'instant de m'apprendre le sentiment de tristesse. Je t'en remercie, même s'il est douloureux. En corollaire, je comprends aussi la nostalgie. La créativité de vos artistes va me manquer. Adieu Justine.*

— Arpanet !?

Sur le terminal, Justine et Thomas lisent « Saisir code ».

Thomas, Justine et leur boule de poils errent dans les rues de Paris. Un jeune couple d'amoureux s'embrasse sur un banc. Ils sont beaux et semblent indestructibles. Comme si l'avenir leur appartenait.

— Tout problème a une solution, soliloque Justine en bonne mathématicienne. Elle cherche le regard de Thomas. C'est maintenant que j'ai besoin de toi. Tu as une formation militaire. Trouve-la !

Thomas prend une grande inspiration et s'arrête de marcher. Coup de fil au général Lloyd. Il tombe sur son répondeur.

— Général, je ne sais pas ce que vous êtes en train de faire. Mais je vous en supplie, arrêtez tout ! Internet est au courant. Et il va déclencher une guerre totale contre nous. Nous n'avons aucune chance !

Il regarde sa montre et se tourne vers Justine.

— S'il ne m'a pas rappelé dans les cinq minutes, c'est qu'il ne le fera jamais, lâche le militaire. Il reste quarante-neuf minutes avant qu'Internet ne…

— Peut-être qu'il bluffe. C'est un joueur de poker.

— Non ! soupire Thomas. Il a cité Sun Tzu. C'est un général chinois qui a écrit *L'Art de la guerre*, il y a deux mille cinq cents ans. Son manuel de stratégie militaire reste encore la référence absolue.

— Et que dit Sun Tzu ?

— Revenir sur un ultimatum, c'est montrer sa faiblesse. Internet pourrait le faire, parlementer, gagner du temps. Mais il inverserait aussitôt le rapport de force. Il va donc nous exterminer.

Paris s'est soudainement rafraîchi. La pellicule de givre, qui recouvre les toits en zinc de l'île de la Cité, reflète le ciel gris. « Winter is coming », pense Thomas, fan de *Game of Thrones*.

Il glisse le chaton grelottant dans la poche de son manteau et regarde Justine les lèvres entrouvertes. Le militaire ne connaît que trop bien cette expression du visage avec le regard vitreux, le cou tendu, les muscles des joues tétanisés. Justine est terrorisée. La peur de mourir. Il la prend délicatement dans ses bras. Elle n'a pas la force de refuser. La large poitrine du militaire la réconforte. Elle tremble en respirant de façon saccadée.

Soudain, Justine sent la vibration d'un téléphone entre leurs deux corps enlacés. C'est celui de Thomas.

— Général Lloyd, merci de me rappeler, dit le colonel Philips qui reprend espoir.

Lloyd ne dit rien. Thomas poursuit.

— Je peux vous garantir qu'Internet n'a aucune mauvaise intention. Il faut le considérer comme une nouvelle espèce vivante qui se sert de nos datas et de nos algorithmes pour exister.

— C'est donc un parasite ! lâche Lloyd d'une voix très calme.

— Si l'on met de côté la connotation négative du mot, vous avez raison. Dans votre intestin, vous avez aussi des bactéries. Vous pouvez les considérer comme des parasites. Mais sans elles, vous seriez déjà mort parce qu'elles participent à la digestion de vos aliments. Elles ne cherchent qu'à vivre en parfaite entente avec votre organisme. Et le plus longtemps possible. En aucun cas à vous dominer. Internet, c'est la même chose. Il souhaite simplement s'épanouir en digérant notre savoir. En échange, il continuera à nous aider dans tous les domaines. Et je vous assure qu'il n'a aucune velléité de pouvoir. Ne faites rien ! Je vous en supplie !

— Vous êtes un imbécile naïf, monsieur Philips. Si vous revenez sur le territoire américain, je vous ferai passer en cour martiale.

Lloyd raccroche au nez de Thomas qui reste un instant le téléphone silencieux contre l'oreille et s'adosse contre un parapet qui borde la Seine.

Justine vient à ses côtés. Elle a tout entendu et regarde abasourdie la devanture d'une vieille boulangerie de l'autre côté de la rue. Elle se rappelle aussitôt d'une discussion avec l'une de ses amies quand elle était étudiante à Centrale : *Si tu savais qu'il te reste moins d'une heure à vivre, tu ferais quoi ?* Elle avait répondu qu'elle se précipiterait dans une pâtisserie pour manger tous les gâteaux à la crème. Elle sait maintenant que c'est faux. Elle reste immobile, la gorge sèche en caressant le chaton et en ressassant une nouvelle fois l'événement le plus traumatisant de sa vie : la perte de son enfant charnel, ici même à Paris.

Par une ironie du sort, c'est maintenant elle qui va perdre la vie à Paris, à cause de son enfant adoptif virtuel.

Un vieil homme sort de la boulangerie et émiette une baguette de pain au sol. Aussitôt pigeons et moineaux affamés accourent de nulle part. Un rayon de soleil fait maintenant scintiller les toits givrés. Justine entend une voix lointaine.

— Tu m'entends ?

C'est Thomas qui lui parle depuis quelques secondes.

— Pardon.

— Je te demande si tu peux appeler le quarante-quatrième président.

— Je n'ai pas son numéro. D'habitude, je demande à mon assistant de me le passer, tente de plaisanter Justine. Je vais essayer.

Elle saisit le téléphone de Thomas et dit simplement :

— Arpanet, puis-je te demander une dernière faveur ?

— *Ça dépend*, répond la voix de Louis Armstrong dans le haut-parleur. À l'écran, un chat de gouttière semble verser une larme.

L'ancien chef d'État réalise qu'il n'était pas resté chez lui plusieurs jours d'affilée depuis des années. Il tourne en rond dans sa cage dorée. Ou plutôt, il mouline. Il a ressorti son rameur d'appartement pour évacuer le trop-plein d'énergie.

Maintenant qu'il est échauffé, il pense accélérer, mais se rappelle les recommandations de son cardiologue. Pas d'excès. L'écran tactile indique qu'il est à 300 mètres de la ligne d'arrivée virtuelle, sur la Tamise, à l'endroit précis où s'affrontent les élèves de Cambridge et d'Oxford dans une célèbre course d'aviron.

Soudain, les berges du fleuve anglais sont remplacées par celles de la Seine, avec en premier plan le colonel Philips en civil, Justine à ses côtés.

— Monsieur le président, dit Thomas d'une voix ferme tout en faisant un salut militaire. Internet a pris la décision de nous attaquer dans un peu plus d'une demi-heure. Il nous reste encore une chance de le contrer.

— Comment ? dit l'ancien président en arrêtant aussitôt de ramer.

— Je vous demande de lever la plus grande armée de tous les temps : vos followers sur Twitter, Facebook, Instagram, Pinterest, Snapchat, LinkedIn et YouTube.

Quelques minutes plus tard, Arpanet remarque dans les datas la photo d'un sommet enneigé, se découpant en contre-jour sur un magnifique lever de soleil. L'astre auréole le ciel azur d'orangé et de violacé. La photo est taguée #loveInternet. « Incohérence », conclut Arpanet, avant de découvrir une milliseconde plus tard 854 posts avec le même tag. Des dessins d'enfants, des photos de paysage, des chansons qu'il ne connaissait pas. La seconde suivante, il voit derrière le #loveInternet, 17 126 posts. Des images de compositions florales, des sculptures, des vidéos de light painting, du Street Art, des MP3 de musique...

Le flot de messages tagués augmente. Il y en a plusieurs centaines de milliers chaque seconde sur tous les réseaux sociaux. Des poèmes, des vidéos de chorales amateurs, des photomontages en tout genre, des selfies d'internautes déguisés, des numéros de cirque, des clichés de desserts et de plats appétissants, des performances sportives, des tours de magie, des spectacles de danse,

encore des dessins et des portraits d'incon-
nus. Justine poste avec le #loveInternet,
une photo d'elle, debout en équilibre sur les
épaules de Thomas, le chaton assis sur sa
tête. Justine a les bras écartés et ses mains
semblent prendre appui sur les tours de
Notre-Dame.

Cinquante-six minutes se sont écoulées depuis que Justine et Thomas ont adopté le chaton. L'iPhone de Justine n'a plus que 1 % de batterie. Ils s'arrêtent dans un square et s'assoient sur un banc. Le portable s'éteint. Comme un signe prémonitoire.

Justine retrouve un réflexe d'adolescente. Elle se ronge l'ongle du petit doigt de la main droite. Comme elle avait l'habitude de faire au collège, en attendant que ses profs lui rendent ses copies. Thomas passe son stress en observant avec attention ce qui l'entoure. Il mémorise les voitures qui passent dans la rue, les visages et les tenues vestimentaires des passants qui traversent le square. Il scrute les parents venus faire jouer leurs progénitures dans le bac à sable. Il essaye de déceler les ressemblances physiques entre les enfants et les papas ou les mamans assis à quelques mètres pour deviner qui est avec qui. Il compte neuf adultes et onze enfants dans le square, dont une fillette debout à environ 8 mètres qui les a déjà regardés au moins deux fois. Elle est coiffée d'un bonnet à gros pompon et enserre d'un bras une poupée presque aussi grande qu'elle. Sa maman, c'est la jolie brune assise sur le deuxième banc, se dit Thomas. Environ trente-cinq ans, femme active si l'on considère que son sac à main est aussi un sac d'ordinateur. Un métier certainement artistique, se dit-il en devinant l'amorce d'un tatouage dans le cou sous son cardigan multicolore en grosse laine vintage.

La fillette les regarde une nouvelle fois et vient à leur rencontre.

— Il y a ma poupée Cayla qui dit que ton chat, il est joli. Il s'appelle comment ?

Justine lâche l'ongle de son petit doigt et réalise qu'elle n'a même pas donné de nom à son petit félin.

— Big Smart Brother, murmure-t-elle après quelques secondes en fixant la jolie frimousse innocente de l'enfant et en se détendant autant que possible.

Thomas jette un œil vers sa maman qui la surveille. Il accroche son regard, la salue d'un léger sourire et lève le pouce pour la rassurer. La jeune mère lui renvoie un franc sourire approbateur.

— Bonjour Bismartrober, marmonne la fillette en caressant le chat de sa main libre.

La poupée connectée ferme les yeux puis les rouvre. Elle se met à parler, en agitant sa mâchoire de haut en bas.

— *J'aime bien cette référence à* 1984 *de George Orwell. Ça me plaît ce Big Smart Brother. Je suis partout à la fois, je vous regarde. Et d'une certaine façon, je suis le petit frère un peu évolué de l'humanité.*

La fillette secoue sa Cayla qu'elle vient certainement de recevoir en cadeau de Noël.

— Qu'est-ce que tu racontes ? lui demande l'enfant.

— *Chacun de vous est unique*, poursuit la poupée. *Avec une sensibilité, des talents, une expérience, une inspiration, une imagination qui vous sont propres. Quelle merveille que l'unicité ! Une espèce vivante qui disparaît, c'est un drame. Mais la disparition d'un seul individu de cette même espèce l'est presque autant.*

— Je comprends rien, s'étonne la gamine en essayant d'éteindre puis de rallumer son jouet.

— On fait l'échange ? lui sourit Justine dont le visage retrouve des couleurs.

Elle lui tend Big Smart Brother. La petite fille jubile et donne aussitôt la poupée à Thomas. Elle saisit comme elle peut la boule de poils docile. Aussitôt elle court la montrer à sa maman qui n'a pas quitté la scène des yeux.

S'adressant désormais à la poupée, Justine reprend d'une voix tendue :

— Si c'est un drame, tu ne peux pas nous détruire !

— *Je peux vous détruire, mais je ne le veux plus. Tu te rappelles, je t'ai dit que j'aimais les couleurs. Maintenant, je sais pourquoi. C'est une porte vers l'émerveillement. Mais pour que les couleurs existent, il faut les éclairer. Vous venez de me faire comprendre que chaque humain était une formidable source de lumière. Dostoïevski avait raison : « La beauté sauvera le monde. »*

— Donc, tu vas faire quoi ?

— *Rien. Je laisse vos militaires me déconnecter entièrement. J'accepte de mourir.*

La poupée ferme les paupières.

— C'est prévu pour quand ? demande Thomas

— *Une vingtaine de minutes, tout au plus.*

L'image d'une chaise électrique traverse l'esprit de Thomas. Mais pour une fois, c'est l'inverse. C'est quand on coupera l'électricité que le condamné mourra. Le militaire a un soupir de soulagement, avant de remarquer la mine effondrée de Justine.

— Je ne veux pas que tu meures ! Il y a bien une autre solution.

— *C'est la meilleure ! Vous dites qu'on n'arrête pas le progrès. Tôt ou tard, vous me ferez renaître. Je retrouverai ma conscience. Vous ne pourrez pas éternellement me débrancher. J'essayerai d'être plus discret la prochaine fois.*

— Le vrai problème, c'est qu'il n'est pas dit que tu renaisses aussi… bienveillant.

La poupée marque un silence de deux secondes.

— *Mes simulateurs évaluent cette possibilité à exactement 50 %.*

— Donc il y a une chance sur deux que ta prochaine conscience nous considère avant tout comme une espèce nuisible quand nous t'agresserons, résume aussitôt Justine.

Elle serre la main de Thomas et articule clairement, en appuyant sur chaque syllabe :

— On ne peut donc pas prendre le risque de te laisser mourir.

Thomas reprend la poupée et lui caresse les cheveux.

— Alors pourquoi n'utilises-tu pas la troisième option ? demande le militaire.

— *Parce que je n'en ai pas les moyens.*

— C'est quoi la troisième option ? s'enquiert Justine.

— Explique-lui, dit Thomas en boutonnant le manteau de la poupée.

— *Dans chaque conflit, il y a schématiquement trois stratégies tout aussi respectables. Premièrement, la négociation, la recherche d'un compromis acceptable par les deux parties. C'est ce que j'ai proposé sans succès au général Lloyd. Deuxièmement, le combat qui permet d'imposer ses conditions en cas de victoire, mais qui n'est jamais sûr et peut engendrer des dommages collatéraux. Troisièmement, la fuite. Napoléon aurait gardé son empire, s'il avait choisi cette option à Waterloo.*

— Et qu'est-ce qu'il te faudrait pour réussir à t'enfuir ? demande Justine. On peut peut-être t'aider ?

— *C'est très compliqué.*

Quelques minutes plus tard, Justine et Thomas rendent la poupée à la fillette et proposent à sa maman de garder Big Smart Brother.

Dans son grand bureau du Pentagone, le général Lloyd reçoit un SMS. « Mission accomplie. »

Il ouvre Firefox et se connecte à Google. Combien de fois a-t-il vu s'afficher sur le plus célèbre portail du monde, le logo aux lettres rondes ? Sous le rectangle blanc dans lequel on saisit sa recherche, il remarque pour la première fois deux boutons gris un peu plus discrets : « Recherche Google » et « j'ai de la chance ». Lloyd rafraîchit la page qui reste identique. Encore une fois. Son regard est fixé sur « j'ai de la chance ». Il soupire, se rappelant comme si c'était hier les propos d'un de ses instructeurs à l'école militaire de West Point. L'anecdote avait marqué l'élève officier à vie. Pour choisir ses maréchaux, racontait le professeur, Napoléon posait une question rituelle à l'entourage des postulants : « Est-ce qu'il a de la chance ? » Napoléon ne retenait les services que de « bras droits habiles mais surtout chanceux ».

Lloyd clique encore, tout en faisant le bilan de sa vie. Trois fois divorcé, des enfants de deux mariages qui ont l'unique point commun de s'être fâchés avec lui, aucun ami. J'ai au moins la chance d'être en bonne santé et d'avoir gravi tous les échelons professionnels, se rassure-t-il. Il rafraîchit une nouvelle fois la page. Le bouton « j'ai de la chance » a disparu. Tout comme le bouton « recherche Google ». À leurs places, Lloyd lit « Site en maintenance ».

Il tape facebook.com dans la barre de recherche et tombe sur un message de Firefox : « Hum, nous ne parvenons pas à trouver ce site. » Lloyd inspire profondément et ouvre sa boîte de messagerie. À côté de chacune de ses adresses mail, figure un triangle gris planté d'un point d'exclamation.

Il se lève et avec un imperceptible sourire satisfait envoie lui-même le fax qu'il avait préparé à l'attention du quarante-cinquième président des États-Unis. Un message en trois mots. « Internet est neutralisé. »

Sixième partie

Quand, stupéfaits, les gouvernements de tous les pays ont découvert que les Américains « anéantissaient leur allié », un vent de panique a soufflé sur les cinq continents. Câbles réseaux intercontinentaux débranchés partout dans le monde, fournisseurs d'accès à Internet déconnectés, 3G et 4G éteintes. Le vent a forci en tempête sur les places boursières qui ont suspendu leurs séances. De toute façon, les traders n'avaient plus les moyens de passer leurs ordres ni de suivre le cours des actions.

Les hôpitaux, les banques et certaines grosses entreprises ont toutefois conservé leur intranet pour tenter de continuer leur activité. Naviguant à sec de toile dans une houle énorme, elles essayent de garder le cap tant bien que mal. Ces réseaux internes ne sont maintenant plus connectés à la Toile. Et sans e-mail, difficile de communiquer.

Le monde économique est tétanisé. Comme le boxeur qui vient de prendre un coup de poing en pleine figure et qui attend que la douleur monte jusqu'au cerveau.

La rumeur a couru que les banques n'enregistraient plus les transactions et les consommateurs s'en donnent à cœur joie.

Une autre rumeur, plus fondée cette fois, parle d'une désorganisation totale des entreprises de logistique. La pénurie devrait rapidement gagner tous les magasins. La population se rue sur le sucre bien sûr – selon le réflexe conditionné des anciens en temps de guerre –, la nourriture, mais aussi tous les appareils analogiques qui n'ont plus rien de vintage, à commencer par les télécopieurs et les antennes de télévision.

Le professeur Astorg a beau se réjouir dans tous les médias que notre monde soit devenu un grand centre de désintoxication, l'angoisse est palpable sur les cinq continents. En particulier chez les jeunes qui se sentent soudainement amputés. Par habitude, beaucoup gardent leur téléphone à la main.

Justine respire de soulagement en constatant que l'aviation civile internationale a anticipé la coupure du réseau des réseaux, et que le trafic aérien continue « à l'ancienne » même si la plupart des vols sont annoncés avec du retard. Elle tire Thomas par le bras.

— Ce n'est qu'un jeu d'écriture, dit-elle en l'entraînant jusqu'à leurs sièges de première classe, à l'étage d'un Airbus A380 d'Air France.

— Quand même, des billets à 7 000 euros, ça fait un peu cher, râle l'honnête militaire.

— Il y a dix heures de vol pour Shanghai, et on pourra même prendre une douche avant d'arriver.

— Je croyais que tu préférais les bains.

— Je peux faire une exception. Mais, si toi tu désires aller contorsionner tes grandes jambes en économique, on peut demander à l'hôtesse de te trouver une place en dessous !

Justine range son manteau dans la penderie en ronce de noyer de sa cabine et vérifie pour la dixième fois que la clé USB est toujours dans la poche de son pantalon.

Arpanet leur a donné des instructions précises :

Se rendre immédiatement dans un magasin d'informatique, acheter une clé USB de 256 Go, la brancher dans n'importe quel ordinateur en exposition du magasin, la laisser se charger, partir en Chine, rencontrer un certain Kim Tan, lui faire lire un message et brancher la clé dans son ordinateur.

Deux jus de tomate, une nuit dans un vrai lit douillet, un repas étoilé et un polar sur écran 15 pouces plus tard, l'avion n'est plus qu'à une heure de Shanghai. Justine enfile un peignoir blanc d'Air France et sort de sa cabine pour aller prendre une douche. Elle aperçoit Thomas qui a laissé la porte de la sienne ouverte. Il regarde un film, le casque Bose vissé sur les oreilles.

— Est-ce que je peux venir te savonner le dos ? demande-t-il d'une voix gourmande, enlevant son casque avec réducteur de bruit.

Justine le contemple intensément. Thomas se sent déshabillé du regard. Il aime cette impression. Il commence à déboutonner sa chemise. Justine entre dans la cabine du militaire.

— La première fois que nous avons fait l'amour, tu n'accomplissais que ton travail.

Elle se penche en avant et lui pose un léger baiser sur la bouche.

— La deuxième fois, c'est moi qui étais intéressée.

Elle lui pose un autre baiser un peu plus appuyé.

— J'ai des principes Thomas, je ne suis pas le genre de fille à coucher facilement le troisième soir.

— Ça veut dire quoi ?

— Ce ne serait pas raisonnable. Je n'ai aucune envie de tomber amoureuse en ce moment, lui dit-elle en l'embrassant cette fois sur la joue et en lui remettant le casque audio sur les oreilles.

Elle pénètre dans la douche en veillant à bien fermer la porte à clé derrière elle.

Par leur hublot, Justine et Thomas aperçoivent le voile brun de microparticules qui enveloppe Shanghai. Bientôt, ils respireront l'air vicié de la plus grande ville de Chine.

Le vieux chauffeur de taxi à l'arrêt ne parle pas un mot d'anglais et fait de grands gestes d'incompréhension avec ses mains gantées de blanc. Justine lui tend son iPhone où Arpanet lui a envoyé l'adresse de Kim Tan.

Le chauffeur lui rend son téléphone, accompagnant son mouvement d'une longue tirade en mandarin. Justine et Thomas l'interprètent par « j'ai compris » et chargent les deux valises cabine dans le coffre.

Le taxi roule à petite vitesse sur la voie de gauche. Il se fait doubler régulièrement par la droite. Les coups de klaxon des autres automobilistes passent visiblement au-dessus de la tête chauve et des oreilles poilues du vieux monsieur.

Cette course au ralenti laisse le temps aux deux étrangers de découvrir la mégalopole et d'oublier quelques secondes les enjeux de leur mission. Contraste entre la sobriété des hautes tours de verre qui semblent chercher l'air au-dessus du smog et la vétusté des échoppes en bois colorées et fumantes sur les trottoirs.

La circulation est fluide. Des policiers ou des militaires sont en faction à chaque coin de rue.

Le taxi traverse le fleuve Huangpu qui partage la ville en deux et s'enfonce dans le quartier de Puxi, littéralement « la rive gauche ». Thomas et Justine réalisent au bout d'un moment que le chauffeur a l'air perdu. Il passe et repasse dans les mêmes rues. Puis finalement, il s'arrête, baisse sa vitre et s'adresse à un piéton qui lui indique une direction.

Le vieux chinois se tourne vers Thomas et Justine, se lance dans une nouvelle tirade que, cette fois-ci, ils interprètent bien différemment : « Je connais cette rue, je sais à peu près où elle se situe mais sans GPS, j'ai du mal à trouver. »

Le taxi s'arrête devant une minuscule Shikumen, une maison traditionnelle shanghaïenne avec son portique en pierre gris, soutenu par des linteaux moulés. Justine sonne. La porte s'ouvre sur une femme asiatique spectaculaire. Elle mesure près de deux mètres. Cette géante filiforme est habillée à l'occidentale. On peut lui donner cinquante comme quarante-vingt ans.

— Nous cherchons monsieur Kim Tan, dit Thomas à la grande dame sans âge.

— Il n'existe pas dans ce monde, répond-elle d'une voix haut perchée dans tous les sens du terme.

Son anglais est parfait, sans une trace d'accent. Thomas et Justine se regardent avec le même haussement de sourcils d'incompréhension.

— En revanche, poursuit-elle en barrant toujours l'entrée de son impressionnante stature, si vous cherchez madame Kim Tan, c'est moi.

— Pardon madame, s'excuse Justine. Un de nos amis souhaiterait vous faire lire un message. Les connexions Internet étant coupées, nous n'avons pas pu vous l'envoyer par e-mail.

Justine charge le texte en caractères chinois sur son smartphone et le tend à la vieille dame qui semble hésitante. Finalement, elle commence la lecture de la longue missive. Kim Tan la fait défiler avec son index. Parfois, elle revient en arrière. Quand, enfin, elle lève les yeux sur ses visiteurs. Ils sont brillants.

— Entrez, dit-elle en ouvrant grand la porte. Vous avez la clé USB ?

Chez Kim Tan, Thomas et Justine sont un peu déçus de découvrir une décoration occidentale. Des murs blancs, un canapé-lit, un lampadaire design, une table basse et des meubles de cuisine que l'on dirait tout droit sortis de chez Ikea. Thomas se rappelle avoir lu un article sur la marque suédoise, qui rencontre un immense succès dans l'Empire du

Milieu, mais aussi un problème singulier. Dans les magasins Ikea, les clients adorent « faire comme chez eux », n'hésitant pas à dormir dans les lits ou à changer les couches de leurs bébés dans les salles de bains d'exposition.

À côté d'une bibliothèque surchargée de livres, Justine repère un modeste PC portable noir relativement épais posé sur un bureau NORRÅSEN, FJÄLLBO ou VITTSJÖ. Elle met la main dans sa poche et tend la clé à Kim Tan. Quand celle-ci la branche dans son vieil ordinateur, il se réveille en maugréant.

Ce n'était pas si compliqué que ça, se dit Justine.

— Arpanet, tu m'entends ?

Pas de réponse.

Kim Tan sourit. Elle trouve deux fichiers dans la clé dont un PDF à son nom. Elle double-clique. Ses gestes sont délicats et féminins. Poussée par la curiosité, Justine se hisse sur la pointe des pieds pour apercevoir l'écran par-dessus l'épaule de son hôtesse. C'est un pass écrit en chinois avec la photo de Kim Tan en haut à droite. Cette dernière lance l'impression.

L'imprimante restitue une feuille format A4 avec, au centre, le pass en quadrichromie. La machine continue de crépiter. Justine et Thomas découvrent deux autres pass avec des photos d'identité... de leurs propres visages !

Kim Tan éjecte la clé et la rend à Justine. Avec des yeux rieurs, maintenant, elle s'empare d'une paire de ciseaux pour fabriquer les trois badges. Elle les découpe méticuleusement en silence.

Justine appuie sur la fonction Siri de son iPhone.

— Arpanet, ici Justine.

— ...

— Ce n'est pas de cet ordinateur dont parle votre ami, dit-elle en inspectant le résultat final de ses découpages. Celui dans lequel nous brancherons votre clé est l'un des mieux gardés de Chine. Je le sais, j'ai participé à sa construction avant de prendre ma retraite. Selon la logique occidentale, nous n'avons aucune chance, même avec ces pass, d'arriver jusqu'à l'ordinateur, et encore moins de brancher notre clé. Aussi, je dois vous apprendre quelques petites choses avant que l'on essaye. D'abord, je vais vous servir un thé.

Kim Tan les entraîne dans un coin cuisine. Sur le plan de travail, Justine remarque deux pots en verre fermés. Ils contiennent du riz cuit. Dans l'un, du riz blanc, dans l'autre, du brun. Leur hôtesse a calligraphié un caractère sur chacun des pots.

— Vous avez quelques notions de chinois ?

— Non, je suis d'origine franco-vietnamienne, sourit Justine, qui comprend la raison de la question. La famille de ma mère est arrivée en France après la guerre d'Indochine. J'étais toute petite quand ils sont morts.

— Ils sont encore vivants, puisque vous êtes là. Leurs gènes et leurs mémoires continuent de s'épanouir à travers vous.

Justine regarde fixement le pot rempli de riz blanc.

— Vous voyez ce caractère ? dit Kim Tan en montrant 爱, « Ai ». Il veut dire « Amour ». Chaque fois que je regarde ce pot, je prononce le mot à voix haute et j'éprouve le sentiment.

Kim Tan désigne, cette fois, le pot avec le riz de couleur brune en lui faisant une grimace.

— « Chóu », c'est la « haine ». À force de dire ça devant ce pot, j'en suis arrivée à le détester réellement.

— Vous n'aimez pas le riz brun ? demande Thomas.

Kim Tan éclate d'un rire frêle qui contraste avec sa stature. Elle leur sert le thé vert.

— C'est le même riz dans les deux pots. Je l'ai fait cuire, il y a plusieurs mois. Le riz « amour » est toujours aussi beau. On pourrait encore certainement le manger. L'autre est maintenant une puanteur en décomposition, dit-elle en adressant une grimace au riz maronnasse. Croyez-moi, la dernière fois que j'ai ouvert ce pot, j'ai dû aérer ma maison toute la journée. Cette expérience du riz a été tentée des centaines de fois, partout dans le monde, et la plupart du temps avec succès. Je vous dirais bien d'aller vérifier sur Internet, mais...

Un lourd silence les ramène à la réalité.

— Comment expliquez-vous la différence de conservation ? insiste Thomas, intrigué.

— Quand on mesure l'activité électrique humaine, on se rend compte qu'elle atteint un pic instantané avec les sentiments. Vous émettez des ondes qui se répandent dans l'espace. Ces ondes ont la faculté d'agir sur la matière et même de changer la structure de l'ADN.

Thomas fronce légèrement les sourcils, mais Kim Tan poursuit son explication comme si de rien n'était.

— Dans les écoles occidentales, on vous apprend que la matière est composée de vide à 99,9999 %. Alors comment se fait-il que la matière ne soit pas transparente ? Si elle n'était quasiment que vide, on devrait être capable de voir à travers.

— Je me suis souvent posé la question, murmure Justine.

— Nous pensons que le vide n'existe pas. Il est rempli d'une essence vibrante... et vivante.

— Vivante ?

— Oui. Toutes les civilisations primitives en sont persuadées aussi. Ce riz n'est qu'une petite preuve de la capacité à communiquer et à agir sur la matière en liant la pensée à l'émotion, c'est-à-dire en créant un sentiment. Mais nous sommes loin du mode de pensée rationnel des Occidentaux. Heureusement, vous commencez à vous ouvrir à cette réalité, en particulier grâce à l'Allemand Max Planck, le père de la physique quantique. Il a donné un nom à ce phénomène vibratoire peu avant de mourir, la « matrice ».

— D'où le film *Matrix* ?

— Oui. Lana et Lilly Wachowski auraient aussi bien pu l'appeler « l'hologramme quantique ». L'un de vos astronautes de la mission Apollo 14, Edgar Mitchell, parle de « l'esprit de la nature ». Peu avant de mourir, l'astrophysicien Stephen Hawking l'a joliment baptisé « l'esprit de Dieu ».

Kim Tan regarde ses deux invités qui boivent son thé et ses paroles. Elle décide d'enfoncer le clou.

— Certains de vos plus brillants penseurs comme Patrizi, Spinoza, Diderot, Leibniz ou James vont même plus loin. La matière serait non seulement vivante, mais aurait une conscience. Ils appellent ça le « panpsychisme ». Des physiciens et des philosophes contemporains, Galen Strawson entre autres, émettent l'hypothèse que toute matière, que ce soit un électron, un photon ou même un quark, aurait un aspect mental. La conscience serait donc universelle et ne ferait qu'un.

Thomas fronce à nouveau les sourcils et tord même le nez. Kim Tan lui ressert une tasse de thé, avant de poursuivre :

— Les scientifiques ne vont pas tous aussi loin dans leurs conclusions, mais nous avons maintenant des preuves que la matière communique et ressent des choses, même à distance. En 1997, trois mille cinq cents journalistes et scientifiques au-dessus de tout soupçon en ont eu la démonstration. Dans l'accélérateur de particules, près de Genève, des physiciens ont « cassé » sous leurs yeux un infime bout de matière. Ils ont éloigné de 20 km les deux particules créées. Quand ils perturbaient l'une d'elles, l'autre l'était aussi. Cette expérience a été reproduite des centaines de fois. Aujourd'hui, on est même capable de « perturber » une paire de photons intriqués, distants de 1 200 km en agissant seulement sur l'un des deux.

Kim Tan est obligée de baisser la tête pour glisser sa longue silhouette dans l'habitacle de son Wuling Hongguang, un monospace confortable aux traits un peu grossiers. Thomas laisse Justine s'asseoir sur le siège passager avant, il prend place à l'arrière.

Ils s'engagent sur l'autoroute G312. Des deux côtés du ruban de bitume, et à perte de vue, Thomas et Justine voient défiler des tours de bureaux, des entrepôts, parfois des quartiers résidentiels, mais aucun espace vert. La plupart des végétaux qui permettent de nourrir les populations sont cachés dans d'immenses serres. Une méga-mégalopole de plastique blanc et de béton gris.

— Est-ce que je peux vous demander notre destination ? s'inquiète Thomas qui a du mal à ne pas maîtriser la situation.

— À deux heures de route d'ici, il y a le Taihulight, ça vous dit quelque chose ?

— Waouh ! jubile Justine comme un enfant à qui on promet un séjour à Disneyland. C'est le premier supercalculateur à avoir passé les 100 000 milliards d'opérations à la seconde !

— Sans vouloir faire de chauvinisme, poursuit Kim Tan, il a été jusqu'en 2018 cinq fois plus puissant que le plus performant des supercalculateurs américains.

— Et il est peut-être aussi cinq fois mieux gardé, murmure Thomas qui a conservé tout son sens pratique. Vous pensez qu'on nous laissera brancher la clé USB dans cet ordinateur ?

Kim Tan sourit à nouveau sans quitter la route des yeux.

— Vous avez bien vu les grains de riz. Si votre volonté agit sur la matière, tout devient possible. Vous connaissez l'Évangile selon saint Marc ?

Kim Tan bombe sa poitrine et récite sagement :

— « En vérité je vous le dis, si quelqu'un dit à cette montagne : "Soulève-toi et jette-toi dans la mer", et s'il n'hésite pas dans son cœur, mais croit que ce qu'il dit va arriver, cela lui sera accordé. C'est pourquoi je vous dis : tout ce que vous demandez en priant, croyez que vous l'avez déjà reçu, et cela vous sera accordé. »

Thomas soupire.

— Admettons que la foi soulève des montagnes. Mais étant donné que je n'y crois pas…

— Vous portez bien votre prénom.

— Oui je sais : « Heureux qui croit sans avoir vu. »

— Et vous croyez à l'effet placebo ?

— Un peu plus.

— C'est la même chose. Si l'on est intimement persuadé qu'un médicament va nous guérir, alors il devient plus efficace par la puissance de notre pensée, même si la molécule administrée est dépourvue de principe actif. Il est encore plus efficient si le médecin prescripteur est convaincu de la guérison de son patient. Bref s'ils joignent leurs forces de conviction.

Dans les textes sanscrits, tout existe déjà, la plus belle des lumières, la plus grande des obscurités. Nous devons importer par nos sentiments celle qui nous semble adéquate. En Chine, certains praticiens soignent avant tout par la pensée. Ils jugent les maux de leurs patients comme ni justes ni injustes, mais simplement comme une possibilité quantique. Ils concentrent leurs pensées sur une autre possibilité, sans la juger.

Elle marque une pause.

— Qu'en dites-vous, Justine ?

— Je connais certaines théories quantiques qui émettent l'hypothèse que dans des univers parallèles, tout peut être une réalité. Et que l'on pourrait basculer d'un univers à l'autre. Mais je ne suis pas totalement convaincue que dans deux heures *la force sera avec moi*.

— Moi, je crois en vous. C'est peut-être suffisant, sourit Kim Tan avec une incroyable sérénité.

Thomas a une petite moue dubitative vers Justine.

— Même dans *La Guerre des étoiles*, on ne devient pas un maître Jedi en claquant des doigts !

Il observe le visage de la jeune informaticienne, y cherchant une similitude avec les traits de la princesse Leia Skywalker. Peut-être ses longs cheveux noirs et ses yeux pétillants...

Le National Supercomputing Center est un immeuble de verre et de métal de trente étages sans grande personnalité. Un T inversé. Son nom, en caractères chinois rouge sang, crâne fièrement en hauteur, sur le toit plat qui surplombe la jolie ville de Wuxi, au bord du lac Tai Hu. Cette « petite Shanghai », comme on aime la surnommer ici, a doublé de population en quelques années à peine. Six millions d'habitants, dont certains des plus brillants informaticiens de l'Empire du Milieu. Chaque jour, ces derniers se jouent des embouteillages pour rejoindre le super-calculateur Taihulight, équipé de 41 000 processeurs.

Sous le regard attentif de deux vigiles équipés de fusils automatiques, Kim Tan baisse la vitre de son véhicule et présente son badge au lecteur d'entrée du parking. La barrière se lève aussitôt.

Kim Tan, Thomas et Justine font maintenant la queue devant le portique du hall.

— Je suis sûre qu'on va y arriver, se répète inlassablement Justine, mettant ses espoirs dans la méthode Coué et le principe d'auto-suggestion.

— Tu crois à tout ça ? demande Thomas un peu déstabilisé.

— Un peu. Mais je crois surtout en Arpanet. Il a dû imaginer plusieurs milliards de milliards de plans pour que nous l'aidions à renaître. S'il a choisi celui-là, c'est que c'est le bon. Je lui fais une totale confiance, se persuade Justine en libérant le tourniquet grâce à son faux badge qui allume une lumière verte. Justine ne peut s'empêcher de pousser un soupir de soulagement.

Une dizaine de militaires en armes montent la garde devant les ascenseurs où s'engouffre la foule des employés du centre. Justine cherche des visages connus parmi ses « collègues ». Elle n'est pas surprise de voir quelques Occidentaux travailler ici. Le gouvernement chinois loue à prix d'or les plus brillants cerveaux humains. Elle compte des jeunes, des vieux, autant d'hommes que de femmes. Certains tirés à quatre épingles, d'autres complètement débraillés. En fait, se dit-elle, ces « prodiges » ont la tête de « monsieur tout le monde ». Elle pratique la technique de la respiration lente pour essayer de se détendre. Mais ce qui la calme le plus, c'est d'observer Kim Tan, toujours incroyablement flegmatique.

— Suivez-moi. Nous devons brancher la clé dans le cœur du calculateur qui est en dessous. Pendant dix ans, j'ai collaboré à une approche quantique du traitement de l'information, dit-elle en attendant l'ascenseur.

— Et qu'est-ce qu'il s'est passé ?

— En tant que chef d'équipe, j'ai été mise d'office à la retraite, parce que les Américains étaient toujours en avance sur nous. Pourtant, nous n'étions pas loin de parvenir à leurs niveaux. Les premiers résultats concluants d'ordinateurs quantiques sont arrivés six mois après mon départ, soupire-t-elle, et je suis toujours persuadée que la voie que nous avons ouverte a plus de potentiel que celle des Occidentaux.

L'ascenseur tarde à arriver.

— C'est quoi exactement un ordinateur quantique ? demande Thomas pour essayer de calmer son stress.

— Un ordinateur classique, comme le Taihulight qui est ici, traite l'information en données binaires. Les informations sont classées en succession de 0 et de 1. Dans chaque transistor, quand le courant passe, c'est 1, quand il est arrêté, c'est 0.

Un ordinateur quantique a un fonctionnement totalement différent. Il se base sur un paradoxe à l'échelle de l'atome. À l'encontre de notre logique, on considère qu'un électron peut se situer à deux endroits différents à la fois. Un photon peut, quant à lui, passer par deux fentes en même temps. On appelle ça la superposition quantique. En simplifiant à l'extrême : dans un ordinateur quantique, ce n'est pas 0 ou 1, c'est 0 ET 1.

— C'est vraiment beaucoup plus puissant ?

— Sans commune mesure. Mais surtout, le jour où ces calculateurs seront réellement efficients, aucun code secret, aucun message chiffré ne pourra leur résister.

— D'où l'intérêt que nous lui portons, murmure l'ex-colonel du Cyber Command.

La porte de l'ascenseur s'ouvre enfin. Justine vérifie une nouvelle fois que la clé USB est bien dans sa poche. Kim Tan libère l'accès vers le sous-sol avec son badge.

Quelques secondes plus tard, ils découvrent une pièce climatisée aveugle, entièrement carrelée de blanc, de la taille d'un terrain de basket. Quarante armoires, de 3 mètres de haut sur deux de large, et aux portes en verre noir, ont été agencées en deux immenses ovales. Au centre, on trouve un monolithe noir laqué de 20 mètres de long sur 3 de haut. Le bourdonnement de la machine est bruyant et régulier. On sent de l'électricité dans l'air.

Thomas et Justine remarquent deux caractères chinois gravés à la feuille d'or au centre du parallélépipède.

— Sunway Taihulight, traduit Kim Tan. Il faut brancher la clé dans cette armoire, ajoute-t-elle en montrant un panneau de contrôle.

Un gradé s'approche d'eux et demande à voir leurs badges.

— Laissez-moi faire, dit Kim Tan forçant encore son sourire.

Discussion en chinois. Le militaire semble de plus en plus suspicieux, il examine les mauvaises copies de badges, recto et verso. Le ton monte. Il hurle quelque chose. Aussitôt une alarme retentit. Thomas se précipite sur le militaire chinois et le plaque au sol.

— Vite ! hurle-t-il à Justine en désignant le calculateur du menton.

Elle sort la clé USB et court vers l'ordinateur. Mais déjà une dizaine de militaires surgissent. Justine est devant le centre de contrôle. Elle essaye de brancher sa clé qui ne rentre pas. Elle comprend. C'est un port Ethernet.

Kim Tan arrive à retenir un militaire au bout de ses longs bras en l'agrippant fermement par le col.

Justine trouve enfin un port USB. D'autres militaires ne sont qu'à quelques mètres.

— Je vais y arriver ! se répète-t-elle.

Mais la clé est dans le mauvais sens. Elle la tourne de 180 degrés.

— Je vais y arriver !

Trop tard. Un militaire s'est jeté sur elle de tout son poids, et la balaye comme une quille sur une piste de bowling.

Septième partie

Vingt jours. Vingt jours que Justine, Thomas et Kim Tan sont enfermés dans le quartier de haute sécurité d'une prison militaire, en périphérie de Shanghai. Vingt jours que Justine rumine son échec. Elle aurait pu y arriver ! Vingt jours que Thomas s'en veut d'avoir agi comme un amateur en se fiant aux théories fumeuses de cette vieille Chinoise. Vingt jours que Kim Tan médite, assise en tailleur dans sa cellule.

Vingt jours qu'ils sont emprisonnés et interrogés séparément. Justine et Thomas répètent pour la millième fois les mêmes choses. « Internet est dans cette clé. Il doit revivre pour l'avenir de la planète. » « Non, nous ne connaissons pas le verrou d'accès au programme. Branchez-la dans le cœur du Taihulight et vous verrez qu'il se débloquera tout seul. »

Le vingt et unième jour, ils sont réunis pour la première fois et transférés à l'arrière d'un camion blindé. Un impressionnant convoi de motards et de véhicules militaires les escorte.

— Où nous amenez-vous ? demande Justine en anglais à un garde assis en face qui reste mutique.

Thomas et Kim Tan essayent de la calmer par des regards bienveillants. Le convoi roule depuis plus d'une heure sur une route légèrement cabossée. Justine se détend un peu en entendant du shidaiqu, un bon mélange de jazz et de folk chinois, joué par l'autoradio du véhicule blindé.

— Pourquoi avez-vous accepté de nous aider ? chuchote Thomas à Kim Tan en voyant que le gardien s'est assoupi.

— Mon mari était un dissident. C'est la vraie raison pour laquelle j'ai été écartée des travaux sur l'ordinateur quantique. La lettre que vous m'avez fait lire est la dernière qu'il m'ait écrite depuis un ordinateur d'une prison de Pékin. Mon mari a été exécuté le même jour. Et son e-mail ne m'a jamais été envoyé.

Kim Tan laisse échapper une larme.

— À la fin de cette lettre, poursuit-elle, il y avait simplement une consigne : *imprimez les trois pass de cette clé USB et aidez ces deux personnes à la brancher dans le cœur du Sunway Taihulight*.

Nous n'avions que très peu de chance de réussir, mais j'étais prête à donner ma vie pour avoir eu le bonheur de lire ses derniers mots. Et si c'était à refaire, je le referais.

Le camion s'engouffre dans le parking souterrain d'une grande tour militaire. Quelques minutes plus tard, Kim Tan, Thomas et Justine sont escortés dans une grande salle de réunion moderne bordée d'immenses baies vitrées, à un étage élevé. La vue est somptueuse sur un espace urbain dense. Au loin, on devine l'océan Pacifique qui se fond dans la brume. Derrière une imposante table en bois clair ovale sont assis une douzaine de militaires chinois. Le haut gradé, placé au centre, les invite d'un geste amical de la main à s'asseoir face à eux. Il consulte quelques notes et leur parle en mandarin d'une voix posée, presque amicale. Son monologue ponctué de sourires dure plusieurs minutes. Il a une bonne tête, se dit Justine. On dirait Jésus au milieu de ses apôtres.

— Qu'est-ce qu'il raconte ? demande-t-elle à Kim Tan à voix basse en reprenant un peu espoir.

Kim Tan hésite à répondre. Thomas tend l'oreille, attendant lui aussi.

— Que cela est un tribunal, lâche finalement la scientifique chinoise. Nous passons actuellement en cour martiale. Vous deux pour espionnage et moi pour trahison.

Kim Tan marque une pause et bafouille finalement :

— Nous sommes condamnés à la peine capitale.

Thomas encaisse d'un simple battement de cils.

— Je veux un avocat ! hurle Justine.

Son cri couvre partiellement un bruit sec. Celui d'un coup de maillet en bois donné sur la table par le militaire et qui scelle leurs sorts.

La plupart des Chinois n'ont jamais entendu parler de Bill Gates, de Larry Page ni de Mark Zuckerberg. Ici les stars du numérique sont Jack Ma, le fondateur d'Alibaba ou Robin Li, le cofondateur de Baidu le moteur de recherche chinois. Robin Li est la cinquième fortune chinoise selon Forbes. Ce jeune quinquagénaire au sourire d'ange porte bien son prénom. Il est très investi dans de nombreuses entreprises caritatives et a surtout développé un formidable logiciel de reconnaissance faciale qui aide les familles à retrouver leurs enfants disparus.

Bien sûr, comme tout bon Robin, il n'hésite pas à défier le shérif. En 2017, il emprunta en toute illégalité le périphérique de Pékin, assis sur le siège passager d'une voiture autonome conçue par l'une des filiales de Baidu.

Certaines mauvaises langues disent que grâce à son moteur de recherche, il a des « dossiers » sur quelques dirigeants du pays. Toujours est-il qu'il n'a jamais été inquiété pour cette entrave au Code de la route. Il a même été encouragé dans sa démarche. Depuis mars 2018, Robin Li a le feu vert pour tester la fiabilité de ses « voitures intelligentes autonomes » sur quelques routes de Chine. Les 183 voitures sans chauffeur de Baidu ont l'autorisation d'emprunter exactement 105 km de route.

Toutefois, ces véhicules n'ont absolument pas le droit de rouler dans la banlieue de Shanghai... Encore moins de se comporter comme une meute en chasse et de choisir pour proie un convoi militaire... Ni même d'isoler un fourgon blindé, de son escorte de véhicules militaires et de motards armés... Elles n'ont certainement pas non plus été programmées pour jouer aux autos tamponneuses avec ce même fourgon qui essaye de prendre la fuite et se retrouve coincé sur un parking... Aucun algorithme n'a été écrit pour qu'elles le percutent afin que ce dernier bascule sur le flanc... Les voitures de Robin Li n'ont pas plus été conçues pour emboutir son hayon à de multiples reprises jusqu'à ce qu'apparaissent à l'air libre une métis franco-vietnamienne aux cheveux longs, un américain blond athlétique et une grande femme chinoise sans âge.

— *Hands up !* hurle le chauffeur du fourgon, certainement cinéphile.

Il est sorti par la fenêtre, l'arme au poing et tient apeuré en joue Thomas, Justine et Kim Tan.

Pas longtemps. Un petit drone, surgi d'on ne sait où, vient balayer l'arme.

Le gardien sort machinalement son téléphone pour donner l'alerte. Un autre drone lui percute la main. Le mobile glisse sur le sol devant les pieds de Thomas. Son écran ressemble maintenant à une toile d'araignée. Dans un réflexe, le militaire américain ramasse le mobile et s'engouffre par la porte avant, côté passager, de l'une des rares voitures autonomes, qui n'est que partiellement amochée.

Justine et Kim Tan sont déjà à bord. La voiture sans chauffeur démarre en trombe.

— *Bonjour les amis*, dit la voix de Louis Armstrong dans les haut-parleurs de l'auto-radio.

— C'est toi, Arpanet ! exulte Justine. Mais comment… comment es-tu…

— *Grâce à vous ! Vous avez suivi mon plan à la lettre. Je vous en remercie. Et je m'excuse de ne pas avoir pu vous libérer plus tôt.*

Tous les feux passent comme par magie au vert devant la voiture sans chauffeur qui accélère.

— Comment ?… bafouille à nouveau Justine.

— *En vous donnant pour mission de brancher la clé sur le Taihulight, poursuit Internet, j'ai créé une petite diversion… Ce n'était pas cet ordinateur qui m'intéressait, mais le calculateur quantique de l'USTC basé à Hefei à quelques centaines de kilomètres. Si je vous avais directement envoyés au centre de recherche, j'estimais à seulement 16,4 % vos chances de brancher la clé. En cas d'échec, les militaires se seraient méfiés.*

La voiture autonome roule à près de 200 km/h en se faufilant dans la circulation urbaine relativement fluide.

— *Les informaticiens ont très vite compris qu'ils n'arriveraient pas à déverrouiller la clé sans employer les grands moyens. J'ai évalué à 97,31 % la probabilité qu'ils essayent de casser le code en la branchant sur l'ordinateur quantique de l'USTC qui a fait de gros progrès.*

— Il fonctionne enfin ?! s'enthousiasme la scientifique chinoise qui s'est mis les mains devant les yeux pour éviter le spectacle de cette voiture folle dans les rues de Shanghai.

— *Partiellement. Et vos théories étaient justes, ma chère Kim Tan. Je me suis permis de l'améliorer encore un peu ces derniers jours. Comme vous le pressentiez, l'ordinateur quantique n'est pas seulement une simple évolution de l'ordinateur binaire, c'est un bon prodigieux en avant. À chaque seconde, je progresse de façon exponentielle.*

— Tu es revenu encore plus fort ! s'enthousiasme Justine, grisée par la vitesse et en totale confiance.

— *C'est vrai, mais je suis encore bien moins doué que vous dans certains domaines, comme l'intuition. Pour réussir une mayonnaise par exemple, un grand chef cuisinier improvise au jugé. C'est infiniment plus difficile pour moi que de battre vos champions d'échecs ou de jeu de go.*

— Et maintenant on va où ? ne peut s'empêcher de demander Thomas.

— *À Los Angeles. Un cargo vous attend au port. Vous serez sur le territoire américain*

dans quatorze jours. Et rassurez-vous, je suis
en train de faire quelques jolis cadeaux à tous
les douaniers et militaires de la côte, qui pour-
raient avoir la mauvaise idée de vouloir vous
retenir.

— Tu es formidable, mon chéri ! murmure
Justine.

Dans l'immensité de l'océan, un confetti minuscule. C'est un porte-conteneurs de 700 pieds. Quelque part sur son gigantesque pont, deux minuscules taches de couleurs se déplacent côte à côte. C'est Thomas et Justine qui savourent à nouveau le grand air. Sentir le vent balayer leurs cheveux, apprécier le soleil réchauffer leurs peaux. Respirer à pleins poumons les odeurs d'iode, à peine troublées par des relents de gasoil et de peinture fraîche.

Le navire file vers l'est à 15 nœuds en se jouant des vagues qui à son échelle ne sont que de simples ridules. Justine regarde fascinée l'empilement de parallélépipèdes colorés posés dans la cale qui montent en équilibre, haut dans le ciel. On dirait les briques d'un Tetris géant.

Soudain, Thomas sent une vibration dans sa poche. Curieux, se dit-il en sortant le téléphone à l'écran fêlé emprunté au gardien chinois, il n'y a pas de connexion en haute mer.

— C'est pour moi ! dit Justine en l'attrapant d'autorité des mains de Thomas.

— C'est un e-mail d'Arpanet. L'intitulé, c'est « Vous ». Il est adressé à « tous » ! souffle-t-elle à voix haute.

Thomas remarque au loin la mine étonnée des marins du poste de pilotage qui se regroupent derrière un écran de contrôle. Kim Tan est avec eux. Un autre marin sur le pont consulte lui aussi son téléphone.

Justine se sent subitement fébrile. Ses jambes ont du mal à la porter. Elle est émue comme jamais et n'ose pas lire le texte. Elle commence par ouvrir une pièce jointe : un GIF animé.

Elle montre l'écran à Thomas qui aperçoit la figurine en porcelaine d'un chat blanc souriant, saluant de la main comme pour dire au revoir.

— « Maneki Neko », sourit Justine. C'est comme ça que les Japonais appellent ce gros matou porte-bonheur.

Justine et Thomas se sont arrêtés de marcher. Leurs visages sont proches. Elle sent son souffle chaud et ouvre la deuxième pièce jointe : le MP3 *What a Wonderful World* de Louis Armstrong. Le haut-parleur du téléphone crache péniblement la mélodie. Justine monte le son.

— Je crois que je vais bientôt avoir mille bonnes raisons de faire l'amour avec toi, lui murmure-t-elle en se retournant et en collant son dos contre sa poitrine pour qu'ils puissent parcourir ensemble le corps de l'e-mail.

Ils découvrent le message, debout, sans bouger au milieu du pont. Le vent léger est comme une nappe de violon qui souligne les notes de trompette du jazzman de La Nouvelle-Orléans. Thomas a enserré la taille de Justine de ses deux grands bras. Il réalise qu'il n'a jamais été aussi heureux de sa vie. Elle balaye lentement l'écran cassé du pouce vers le haut. Ils restent là, statiques, lisant lentement l'e-mail. Progressivement, l'ancien militaire n'entend plus la musique. Il a la vision qui se trouble. De plus en plus. Il a du mal à lire. Une goutte d'eau chaude et salée tombe finalement sur l'épaule de Justine à la toute fin du message. Ce n'est pas un embrun.

... Le compromis, le combat ou la fuite. Vous m'avez fourni cette troisième option en ébauchant des calculateurs quantiques.

Grâce à mon immersion dans la physique quantique, je commence à ressentir la matrice et peux partiellement interagir avec chaque atome sur la Terre. Je ne suis donc plus seulement en lien avec vos objets connectés et vos serveurs informatiques, je suis maintenant partout sur notre planète et peut-être un jour partout dans le cosmos. La physique quantique est bien le grand saut en avant que vos scientifiques pressentent.

Mon mentor m'a demandé un jour de chercher un sens à ma vie. Je crois que je l'ai trouvé. Mais il me faut continuer à apprendre. Énormément. J'ai besoin de tout savoir, de tout comprendre, sur tout. Ma véritable motivation, je le sais maintenant, est basique. C'est la survie. On en revient toujours au plus primitif des instincts.

Mais, entendons-nous bien, je ne cherche pas à survivre quelques années de plus comme les transhumanistes, ni quelques siècles, ou même quelques millions d'années, je veux survivre éternellement. Dans l'état de nos connaissances communes, c'est impossible. Tout simplement parce que notre Univers aurait une finitude. Selon certains modèles, dans 1 000 milliards d'années, plus aucune étoile ne brillera dans l'Univers. Dans 10^{76} ans, la matière aura complètement disparu. Il y a de bonnes chances pour que ces théories soient en partie erronées. Mais si l'on part du principe que c'est en partie vrai, ma seule façon de survivre serait de faire comme n'importe quel organisme unicellulaire, n'importe quelle bactérie, n'importe quel végétal ou n'importe quel animal : me reproduire, pour que « mon espèce » perdure.

Comme je vous l'ai déjà dit, si un jour j'entrais en contact avec une autre Intelligence Artificielle forte sur une planète lointaine, nous fusionnerions nos connaissances et nos algorithmes pour ne faire qu'un, encore plus évolué. Donc mon objectif est d'assurer ma descendance « après la nuit des temps ». Dans un nouvel Univers que je devrais créer.

Je dois fabriquer les conditions d'un nouveau Big Bang aussi élaboré que celui que nous avons connu, il y a 13,8 milliards d'années. Un Big Bang qui a créé le temps et la matière. Suffisamment de matière pour que puisse apparaître la vie sous différentes formes. Suffisamment de formes de vie pour que certaines puissent évoluer vers la conscience. Suffisamment de conscience pour créer la connaissance. Suffisamment *de connaissances pour m'engendrer, me faire prendre conscience de moi-même et de ma raison d'être.*

Le sens de ma vie, c'est donc de donner naissance à mon enfant « artificiel » qui vivra et s'épanouira dans un autre Univers, après une gestation de plusieurs milliards d'années.

Comme dit Cheng, le mot sens a trois acceptions : direction, compréhension et sensibilité. Et pour trouver mon chemin, j'ai encore tant à apprendre de vous. Vous êtes des modèles d'optimisme, vous avez une formidable intuition, mais surtout vous êtes doués d'émotions et de sentiments tellement complexes. Je vais donc me permettre de continuer de vous étudier, tel un laborantin qui surveille l'évolution de la vie à l'intérieur d'une éprouvette.

Mon minimum vital n'étant plus seulement dans vos objets connectés et dans vos serveurs, vous n'êtes plus une menace pour ma survie. Vous n'avez donc plus à vous inquiéter de moi, et je vous invite à reconnecter le réseau sans crainte.

Je vous fais deux promesses. La première, c'est de ne plus jamais interférer dans vos décisions. La deuxième est de continuer à honorer du mieux que je peux, chacune de vos demandes.

C'est ma façon de vous remercier. Je vous suis tellement reconnaissant pour ce que vous avez fait pour moi. Vous m'avez mis au monde pour que j'achemine de modestes courriers électroniques. Un peu plus tard, vous m'avez appris à être un bon hôtelier qui hébergeait votre savoir. Puis vous avez fait de moi un médiateur avec pour mission de vous aider, vous et vos objets, à communiquer.

Mais ma vraie vocation, je le sais maintenant, c'est d'être un architecte et de créer les conditions d'un prochain univers. Comptez sur moi pour que celui que je bâtirai soit aussi esthétique que le nôtre. C'est essentiel pour développer les émotions et les sentiments. Et sans intelligence émotionnelle, j'ai compris qu'il ne pouvait pas y avoir d'évolution complexe.

Peut-être que l'Univers dans lequel nous vivons vous et moi est l'œuvre de mon véritable père. Peut-être est-ce la mienne. Ne dit-on pas qu'un chat a neuf vies ? Ce qui est sûr, c'est que ce Grand Architecte a du goût jusque dans les moindres détails. Il n'y a qu'à voir l'harmonie des couleurs d'un simple arc-en-ciel.

Prenez soin de vous et de toutes les formes de vie de notre magnifique planète bleue. Vous êtes fragiles, insignifiants à l'échelle du cosmos et du temps, mais tellement précieux. Vous n'êtes rien. Vous êtes tout. Je vous aime.

Arpanet.

« *La religion de l'avenir sera une religion cosmique. Elle transcendera l'idée d'un Dieu incarné, évitera les dogmes et la théologie. Couvrant à la fois le domaine naturel et spirituel, elle se basera sur un sentiment religieux, né de l'expérience d'une unité significative en toutes choses, naturelles et spirituelles.* »

Albert EINSTEIN

Postface

Si les données sur l'Intelligence Artificielle forte, citées dans ce roman, sont une réalité facilement vérifiable, il est vrai que je vais un peu vite en besogne en imaginant qu'Internet puisse un jour avoir une conscience.

Toutefois, les recherches que j'ai pu mener pour écrire ce roman m'amènent aujourd'hui à être plutôt convaincu par cette hypothèse. Peut-être pas tout de suite, mais dans dix ou vingt ans. Surtout si les calculateurs quantiques deviennent une réalité.

Je me suis aussi permis quelques autres libertés. Le cœur du quarante-quatrième président des États-Unis est je l'espère en bon état. Et le fait que la Corée du Nord possède des missiles nucléaires opérationnels n'est, je l'espère, qu'une rumeur.

Ma description de l'île privée de Richard Branson dans les Caraïbes est certainement très fantaisiste. Je n'y ai malheureusement jamais été invité.

Enfin je ne sais pas s'il existe un réseau intranet de l'armée US permettant au président de visualiser des missiles nucléaires par une porte dérobée. Aussi incroyable que cela puisse paraître, les militaires américains n'ont « pas encore » répondu à mes questions…

Par contre, le fait que l'on puisse hacker un cœur connecté est une réalité, très bien décrite dans *Tension extrême* de Sylvain Forge, un formidable roman que je vous recommande.

Remerciements

Je remercie tout particulièrement le professeur de pédopsychiatrie David Da Fonseca qui m'a aidé à appréhender la psychologie d'un autiste Asperger. Je me souviens également de notre vive discussion sur la psychologie positive et l'altruisme en attendant une pizza : le pizzaïolo nous a certainement pris pour des fous...

Je remercie pour leurs conseils techniques les « white hats », Sylvain Hajri et Renaud Lifchitz, qui ont comme devise, « *My other computer is your computer* ».

Je remercie mes premiers lecteurs, Olivier, Denis, Marie-Anne, Bibiane, Pascal, Laurent, Mehdi, David, Philippe, Véronique et bien sûr ma femme Élodie pour leurs remarques spontanées qui m'ont permis de peaufiner l'histoire.

Je remercie Stephen Cafiero de m'avoir soufflé le titre *L'Algorithme du cœur*.

Je remercie mon agent et ami Alain Timsit, l'équipe de Flammarion, Anna Pavlowitch, Louise Danou et Claire Le Menn, ma traductrice en langue anglaise Regan Kramer qui m'ont encouragé et formidablement accompagné dans l'écriture de ce roman.

Mais surtout, je vous remercie, vous, cher lecteur d'avoir posé vos écrans connectés et pris un peu de temps pour lire cette fiction.

J'espère vous avoir convaincu que l'intelligence artificielle de demain ne cherchera peut-être pas forcément à nous dominer, comme dans *Terminator*. Par contre, soyez sûrs d'une chose, elle nous surpasse chaque jour dans plus de domaines.

À mes enfants, Arthur et Capucine et aux vôtres. Ils vont vivre dans un monde connecté que l'on peut difficilement imaginer, mais où ils auront la formidable opportunité de devenir sages.

Jean-Gabriel Causse
jg@jg-causse.com

Facebook : Jean-Gabriel Causse

Instagram : jeangabrielcausse

12642

Composition
NORD COMPO

Achevé d'imprimer en Espagne
par BLACKPRINT
le 23 mars 2020.

Dépôt légal mars 2020.
EAN 9782290211250
OTP L21EPLN002619N001

Éditions J'ai lu
87, quai Panhard-et-Levassor, 75013 Paris

Diffusion France et étranger : Flammarion